中國文史經典講堂

史記選評

中國文史經典講堂

# 史記選評

中國社會科學院文學研究所

主編 楊義　副主編 劉躍進

選注・譯評　徐建委

責任編輯　　楊　帆

裝幀設計　　鍾文君


書　　名　中國文史經典講堂‧史記選評

編選單位　中國社會科學院文學研究所

主　　編　楊　義

副 主 編　劉躍進

選注‧譯評　徐建委

出　　版　三聯書店（香港）有限公司

　　　　　香港鰂魚涌英皇道 1065 號 1304 室

　　　　　JOINT PUBLISHING (H.K.) CO., LTD.

　　　　　Rm. 1304, 1065 King's Road, Quarry Bay, Hong Kong

發　　行　香港聯合書刊物流有限公司

　　　　　香港新界大埔汀麗路 36 號 3 字樓

　　　　　SUP PUBLISHING LOGISTICS (HK) LTD.

　　　　　3/F, 36 Ting Lai Road, Tai Po, N.T., Hong Kong

印　　刷　深圳中華商務安全印務股份有限公司

　　　　　深圳市龍崗區平湖鎮萬福工業區

版　　次　2006 年 5 月香港第一版第一次印刷

規　　格　大 32 開（140 × 210mm）272 面

國際書號　ISBN-13: 978‧962‧04‧2544‧8

　　　　　ISBN-10: 962‧04‧2544‧8

　　　　　© 2006 Joint Publishing (H.K.) Co., Ltd.

　　　　　Published in Hong Kong

# 主編的話

中國正在經歷着巨大的變革，已經成為全世界矚目的焦點；中華民族創造的輝煌文化也日益顯現出它的奪目光彩。華夏五千年文明，就是我們民族生生不已的活水源頭，就是我們民族卓然獨立的自下而上之根。

"問渠哪得清如許，為有源頭活水來。"

為探尋這活水源頭，為培植這生存之根，中國社會科學院文學研究所成立五十多年來，一直把文化普及工作放在相當重要的位置，並為此作了大量的、卓有成效的工作。早在二十世紀五六十年代，文學研究所就集中智慧，着手編纂《文學概論》、《中國少數民族文學史》、《中國文學史》、《中國現代文學史》等通論性的論著。與此同時，像余冠英先生的《樂府詩選》(1953年出版)、《三曹詩選》(1956年出版)、《漢魏六朝詩選》(1958年出版)，王伯祥先生的《史記選》(1957年出版)，錢鍾書先生的《宋詩選注》(1958年出版)，俞平伯先生的《唐宋詞選釋》(初名《唐宋詞選》，1962年內部印行，1978年正式出版)，以及在他們主持下編選的《唐詩選》等大專家編寫的文學讀本也先後問世，印行數十萬冊，在社會上產生了廣泛而又深遠的影響。進入新的時期，文學研究所秉承傳統，又陸續編選了《古今文學名篇》、《唐宋名篇》、《台灣愛國詩鑒》等，並在修訂《不怕鬼的故事》的基礎上新編《不信神的故事》等，贏得了各個方面的讚譽。

擺在讀者面前的這套"中國文史經典講堂"依然是這項工

作的延續。其編選者有年逾古稀的著名學者，也有風華正茂的年輕博士，更多的是中青年科研骨幹。我們希望通過這樣一項有意義的文化普及工作，在傳播優秀的傳統文學知識的同時，能夠讓廣大讀者從中體味到我們這個民族美好心靈的底蘊。我們誠摯地期待着廣大讀者的批評指正。

# 目　錄

前言 ......................................................... V

項羽本紀 ................................................. 1

留侯世家 ................................................. 49

孫子吳起列傳 ......................................... 73

魏公子列傳 ............................................. 91

廉頗藺相如列傳 ..................................... 111

田單列傳 ................................................. 137

刺客列傳 ................................................. 147

季布欒布列傳 ......................................... 179

李將軍列傳 ............................................. 195

滑稽列傳 ................................................. 217

# 前　言

　　《史記》是中國歷史上的一部大書，在歷史和人文領域都產生了無法估量的影響，偉大、博大、雄大、壯大都不足以形容它的至廣大和極深遠。它開了紀傳體通史的先河，成為後世正史體例的典範，是中國第一部"正史"，同時也代表了中國歷史散文的最高成就，魯迅稱它是"史家之絕唱，無韻之離騷"。它的作者是天才的史學家和散文大師司馬遷。

　　司馬遷（約前145－？）字子長，左馮翊夏陽（今陝西韓城南）人。他的父親司馬談，曾任太史令，是一位知識淵博的學者。司馬遷從幼年開始就受到了良好的文化薰陶，據《太史公自序》載，司馬遷從十歲開始誦讀古文，所謂的古文指的是先秦文字，在當時已屬於很專門的學問，這為他後來接觸西漢中央所藏的大量的以先秦文字書寫的歷史文獻，提供了極大的方便。也正是從十歲起，司馬遷隨就任太史令的父親遷居長安。他曾師從孔安國學習古文《尚書》，從董仲舒學習《春秋》，二十歲那年，他開始廣泛的漫遊。他曾到過今天的湖南、江西、浙江、江蘇、山東、河南等地，尋訪了傳說中大禹的遺跡；前往山東參觀了孔子廟堂的車服禮器；在長沙水畔憑弔過屈原……此外，他還北登長城，南遊沅湘，西至崆峒。這次壯遊大大地開闊了他的視野，也使他體驗和感受到了歷史在各地遺留的痕跡，這對形成《史記》鮮活質感的文本特色起了很大作用。

　　漢武帝元封元年（前110），司馬談去世，臨終前，把著述歷史的未竟之業作為一項遺願囑託給司馬遷。元封三年（前108），司馬遷繼任太史令，三年後他開始了《史記》的著述。但是，事出意外，天漢三年（前98），司馬遷為投降匈奴的李陵開脫獲罪，被處以宮刑。出獄後，司馬遷任中書令，在一種屈辱的心態下繼續《史記》的撰寫。大約在征和二年（前91）前後，司馬遷基本完成了《史記》的寫作，前後經歷了十四年左右。漢宣帝時，司馬遷外孫楊惲把它公之於世。其時已有少量缺篇，為後人褚少孫等補足。

《史記》原名《太史公書》，又稱《太史公記》、《太史記》，東漢末始稱《史記》。它是中國歷史上第一部由個人獨立完成、體系完整的紀傳體通史。其紀事自傳說中的黃帝時代一直到西漢武帝時期，歷時三千多年。它所涉及的地理區域包括中原核心地區、西北地區和西南地區等作者可能知道的所有區域，實際就是司馬遷眼中的天下。《史記》全書一百三十卷，五十二萬五千六百字，體制規模之龐大是前所未有的。全書由十二本紀、十表、八書、三十世家、七十列傳組成。“本紀”是全書的大綱，記錄了三千多年歷史的沿革，世事的興衰；“表”是各歷史時期的大事年表；“書”是禮樂、法律、曆法、天文、水利、經濟等人類生活各領域的相關記載；“世家”是歷代祭祀不絕的人物和家族的傳記；“列傳”為本紀、世家以外各種重要歷史人物的傳記，另有幾篇中國邊緣區域民族歷史的傳記。這五種體例相互補充，構成了縱橫交錯的敘事網絡，呈現出一個完整的歷史體系。我們不難發現，司馬遷所開創的“紀傳”體例，是以人為主體的歷史敘事模式，不受時間和歷史事件的限制，顯示出一種鮮明的人本精神。

對於撰述《史記》的目的，司馬遷在《報任安書》中稱是要"究天人之際，通古今之變，成一家之言"。以當今的眼光來看，《史記》這種樣式的寫作其實更像一部世界史或人類史的寫作。司馬遷是在用一種宏通博大的人文精神審視天下（世界）的古往今來，世事的沉浮興衰，以及這中間那些曾經影響歷史和文化的鮮活的個體。他努力發掘的是天下（世界）歷史變遷中，那些具備永恆生命的人類精神。因此，《史記》的份量已經遠遠超出一部史書所能承受的限度，具有更加廣泛的文化價值和思想價值。

同時，《史記》也是千古文章之精品，是中國文學中永恆的經典。《史記》敘事以五種體例相互補充，行文相當從容。司馬遷善於選擇能夠顯現歷史人物品格和氣質的事件，甚至是筆調和文風，如《項羽本紀》寫天下的大英雄，文章亦慷慨悲壯；《留侯世家》記漢初第一高人，筆調也溫文爾雅，恬淡閒遠。《史記》每篇的敘事結構也富於變化，同樣是合傳，《孫子吳起列傳》、《廉頗藺相如列傳》、《魏其武安侯列傳》在結構上卻各不相同，各有其獨特之處。司馬遷不僅記帝王將相，還對刺客、遊俠、商人、滑稽各色人等充滿了興趣，這些非凡的平民俠客在司馬遷的筆下最具生氣，使一個萬象的社會歷史有萬象的生命形態呈現。可以說，《史記》是以千姿百態之文述古往今來千姿百態之人，其文章變化之妙處，縱是數千百萬言也難盡其狀。

項羽本紀

項籍者，下相[1]人也，字羽。初起時，年二十四。其季父[2]項梁，梁父即楚將項燕，為秦將王翦所戮者也[3]。項氏世世為楚將，封於項[4]，故姓項氏。

西楚霸王項羽

項籍少時，學書不成，去[5]；學劍，又不成，項梁怒之。籍曰：「書，足以記名姓而已。劍，一人敵，不足學。學萬人敵。」於是項梁乃教籍兵法，籍大喜；略知其意，又不肯竟學[6]。項梁嘗有櫟陽逮[7]，乃請蘄獄掾曹咎書抵櫟陽獄掾司馬欣，以故事得已[8]。項梁殺人，與籍避仇於吳中[9]，吳中賢士大夫皆出項梁下[10]。每吳中有大繇役及喪[11]，項梁常為主辦，陰以兵法部勒賓客及子弟，以是知其能[12]。秦始皇帝遊會稽[13]，渡浙江[14]，梁與籍俱觀。籍曰：「彼可取而代也。」梁掩其口，曰：「毋妄言，族[15]矣！」梁以此奇籍。籍長八尺餘，力能扛鼎，才氣過人，雖吳中子弟皆已憚籍矣。

秦二世元年[16]七月，陳涉等起大澤中[17]。其九月，會稽守通謂梁曰：「江西[18]皆反，此亦天亡秦之時也。吾聞先即制人，後則為人所制。吾欲發兵，使公及桓楚將[19]。」是時桓楚亡[20]在澤中。梁曰：「桓楚亡，人莫知其處，獨籍知之耳。」梁乃出，誡籍持劍居外待。梁復入，與守坐，曰：「請召籍，使受命召桓楚。」守曰：「諾。」梁召籍入。須臾，梁眴[21]籍曰：。可行矣！」於是籍遂拔劍斬守頭。項梁持守頭，佩其印綬[22]。門下大驚，擾亂，籍所擊殺數十百人。一府中皆慴伏，莫敢起。梁乃召故所知豪吏，諭以所為起大事[23]，遂舉吳中兵。使人收下縣，得精兵八千人。梁部署吳中豪傑為校尉、候、司馬。有一人不得用，自言於梁。梁曰：「前時某喪使公主某事，不能辦，以此不任用公。」眾乃皆伏。於是梁為會稽守，籍為裨將，徇下縣[24]。

廣陵人召平於是為陳王徇廣陵[25]，未能下。聞陳王敗走，秦兵又且至，乃渡江矯陳王命，拜梁為楚王上柱國。曰：「江東已定，急引兵西擊秦。」項梁乃以八千人渡江而西。聞陳嬰已下東陽，使使欲與連和[26]俱西。陳嬰者，故東陽[27]令史，居縣中，素信謹，稱為長者。東陽少年殺其令，相聚數千人，欲置長，無適用[28]，乃請陳嬰。嬰謝不能，遂強立嬰為長，縣中從者得二萬人。少年欲立嬰便[29]為王，異軍蒼頭特起[30]。陳嬰母謂嬰曰：“自我為汝家婦，未嘗聞汝先古之有貴者。今暴得大名，不祥。不如有所屬，事成猶得封侯，事敗易以亡，非世所指名也。”嬰乃不敢為王。謂其軍吏曰：“項氏世世將家，有名於楚。今欲舉大事，將非其人，不可。我倚名族，亡秦必矣。”於是眾從其言，以兵屬項梁。項梁渡淮，黥布、蒲將軍亦以兵屬焉。凡六七萬人，軍下邳[31]。

當是時，秦嘉已立景駒為楚王，軍彭城[32]東，欲距項梁。項梁謂軍吏曰：“陳王先首事，戰不利，未聞所在。今秦嘉倍[33]陳王而立景駒，逆無道。”乃進兵擊秦嘉。秦嘉軍敗走，追之至胡陵[34]。嘉還戰一日，嘉死，軍降。景駒走死梁地[35]。項梁已併秦嘉軍，軍胡陵，將引軍而西。章邯軍至栗[36]，項梁使別將朱雞石、余樊君與戰。余樊君死，朱雞石軍敗，亡走胡陵。項梁乃引兵入薛[37]，誅雞石。項梁前使項羽別攻襄城[38]，襄城堅守不下。已拔，皆阬之[39]。還報項梁。項梁聞陳王定死，召諸別將會薛計事。此時，沛公[40]亦起沛，往焉。

居鄛[41]人范增，年七十，素居家[42]，好奇計，往說項梁曰：“陳勝敗固當[43]。夫秦滅六國，楚最無罪。自懷王入秦不反[44]，楚人憐之至今，故楚南公[45]曰：‘楚雖三戶[46]，亡秦必楚'也。今陳勝首事，不立楚後而自立，其勢不長。今君起江東，楚蠭午[47]之將皆爭附君者，以君世世楚將，為能復立楚之後也。"於是項梁然其言，乃求楚懷王孫心民間，為人牧羊，立以為楚懷王，從民所望也。陳嬰為楚上柱國，封五縣，與懷王都盱台[48]。項梁自號為武信君。

居數月，引兵攻亢父[49]，與齊田榮、司馬龍且軍救東阿[50]，大破秦軍於東阿。田榮即引兵歸，逐其王假。假亡走楚。假相田角亡走趙。角弟田間故齊將，居趙不敢歸。田榮立田儋子市為齊王。項梁已破東阿下[51]軍，遂追秦軍。數使使趣齊兵[52]，欲與俱西。田榮曰："楚殺田假，趙殺田角、田間，乃發兵。"項梁曰："田假為與國之王，窮來從我，不忍殺之。"趙亦不殺田角、田間以市於齊[53]。齊遂不肯發兵助楚。項梁使沛公及項羽別攻城陽[54]，屠之。西破秦軍濮陽[55]東，秦兵收入濮陽。沛公、項羽乃攻定陶[56]。定陶未下，去，西略地至雍丘[57]，大破秦軍，斬李由。還攻外黃[58]，外黃未下。

項梁起東阿，西，比[59]至定陶，再破秦軍，項羽等又斬李由，益輕秦，有驕色。宋義乃諫項梁曰："戰勝而將驕卒惰者敗。今卒少惰矣，秦兵日益，臣為君畏之。"項梁弗聽。乃使宋義使於齊。道遇齊使者高陵君顯，曰："公將見武信君乎？"曰："然。"曰："臣論武信君軍必敗。公徐行即免死，疾行則及禍。"秦果悉起兵益[60]章邯，擊楚軍，大破之定陶，項梁死。沛公、項羽去外黃攻陳留[61]，陳留堅守不能下。沛公、項羽相與謀曰："今項梁軍破，士卒恐。"乃與呂臣軍俱引兵而東，呂臣軍彭城東，項羽軍彭城西，沛公軍碭[62]。

## 注釋

1. 下相：秦代所設立的縣，大約在今天的江蘇省宿遷市城西七里處。
2. 季父：父親的弟弟，即叔叔。季，兄弟中排行最小的。
3. 梁父即楚將項燕，為秦將王翦所戮者也：秦始皇二十三年（前224），秦國大將王翦擊破楚國，俘虜楚王，楚將項燕立昌平君為王，支撐着行將殘滅的楚國。第二年，王翦、蒙武又一次大敗楚軍，昌平君死，項燕自殺。
4. 項：大約在今天河南省項城縣東北。
5. 去：放棄。
6. 竟學：學到底。竟，終於，完畢。
7. 櫟陽逮：櫟陽，秦代設置的縣，在今陝西省臨潼縣東北七十里。逮，及也，此處指有罪相連及。
8. 乃請蘄獄掾曹咎書抵櫟陽獄掾司馬欣，以故事得已：蘄，原來是楚國的一座小城，秦朝在此設縣，在今安徽省宿縣南三十六里。這句意為項梁請蘄縣掌管監獄的官員曹咎將說情的書信送交櫟陽縣監獄長司馬欣，因此被牽連的事得以了結。
9. 吳中：今江蘇省吳縣。
10. 吳中賢士大夫皆出項梁下：吳中的名人聲望都不如項梁。
11. 大徭役及喪：即指規模較大的徭役和葬禮。古代地方上的一些社會公共設施的修建，如築城、修路等，一般要由當地政府組織人力來完成，對於普通勞動力而言，每年都有相應的天數來參加這種公益性勞動，稱為徭役。項梁那個時代的喪禮規模都比較大，社會上層人物的葬禮一般要持續三個月以上，因此也需要大量的人力。

12. 陰以兵法部勒賓客及子弟，以是知其能：部勒，組織；賓客，流寓在當地的他鄉人；子弟，吳中本地的年輕人。指項梁暗中用兵法來組織當地的流民和丁壯，由此知道他們的實際能力。

13. 會稽：指今天浙江省紹興市東南的會稽山。

14. 浙江：指今浙江省杭州市以下的錢塘江。

15. 族：古代的重刑之一，即殺死全族的刑罰。

16. 秦二世元年：公元前209年。

17. 陳涉等起大澤中：指陳勝、吳廣起兵於大澤鄉之事，詳見《史記‧陳涉世家》。陳涉即陳勝；大澤鄉當時屬蘄縣，在今安徽省宿縣境內。

18. 江西：長江江西省九江至江蘇省鎮江段大致成南北流向，這一帶的長江兩岸在秦漢時稱作江東和江西，江東指這一帶的長江南岸，而江西則是長江北岸區域，大體指今天安徽省和江西省西南部等地。

19. 使公及桓楚將：指讓項梁和桓楚率領發動起來的軍隊。

20. 亡：逃亡。

21. 眴：使眼色。

22. 綬：穿繫印鈕的絲帶。

23. 論以所為起大事：將為何要起兵反秦的原因宣告給豪強和兵吏們。

24. 徇下縣：率軍隊收復和安撫郡下的各個屬縣。

25. 廣陵：今江蘇省揚州市東北；陳王即陳涉。

26. 連和：聯合兵力。

27. 東陽：秦代設立的縣，在今安徽省天長市西北七十里處。

28. 無適用：沒有合適的人選。

29. 便：有草率、匆忙之意。

30. 異軍蒼頭特起：異軍，與眾不同的軍隊；蒼頭，指以青色包頭巾裹頭；特起，獨起，獨樹一幟的意思。

31. 下邳：秦所置縣，在今江蘇省徐州市邳縣東。

32. 彭城：今江蘇省徐州市。

33. 倍：同"背"，背叛。

34. 胡陵：秦代設置胡陵縣，在今山東省魚台縣境內。

35. 梁地：戰國時期魏國的首都為大梁，因此魏國境域也稱梁。

36. 栗：秦所置縣，在今河南省商丘市夏邑縣境內。

37. 薛：今山東省滕縣東南。

38. 襄城：今河南省許昌市襄城縣。

39. 皆阬之：指將襄城守城的軍民全部活埋。

40. 沛公：即劉邦。沛，今江蘇徐州沛縣。

41. 居鄛：即居巢，上古時代有巢國，夏代最後一個君王就曾逃往巢
    國，後來楚國設立居巢邑，秦改為縣，在今安徽省巢湖市境內。

42. 素居家：一直在家中居住，未嘗出外任事。

43. 陳勝敗固當：陳勝的失敗本來就是應該的。

44. 懷王入秦不反：指楚懷王熊槐被秦昭王騙至武關會盟，結果被扣
    留，最後死在秦國一事。

45. 楚南公：戰國時代楚國的一位預言家，《漢書·藝文志》著錄有
    "南公十三篇"，屬陰陽家。

46. 雖三戶：意思是即使只剩三戶人家。"三戶"是極言其少；一說
    "三戶"為地名。

47. 蠭午：等於說蜂起。"蠭"，同"蜂"；"午"，縱橫交錯狀。

48. 盱台：即盱眙，即今天江蘇省盱眙縣。

49. 亢父：在今山東省濟寧市南五十里處。

50. 東阿：今山東省陽谷縣阿城鎮。

51. 東阿下：東阿一帶。下，表示屬於某一範圍。

52. 數使使趣齊兵：數，屢次，多次；趣同"促"，催促。項梁屢次
    派人催促田榮發兵。

53. 市於齊：跟齊國做交易。

54. 城陽：今山東省菏澤市東北。

55. 濮陽：在今河南省濮陽市南。

56. 定陶：秦代所置縣，在今山東省定陶縣城西北。

57. 西略地至雍丘：略地，奪取土地；雍丘，原為春秋時的杞國，在今河南省杞縣境內。

58. 外黃：在今河南省杞縣東北六十里。

59. 比：及，等到。

60. 益：增加。

61. 陳留：今河南省開封市開封縣陳留鎮。戰國時期屬鄭國，名留，後被陳國所滅，更名為陳留。

62. 碭：今安徽省碭山縣境內。秦代設有碭郡和碭縣。


　　章邯已破項梁軍，則以為楚地兵不足憂，乃渡河[63]擊趙，大破之。當此時，趙歇為王，陳餘為將，張耳為相，皆走入鉅鹿城[64]。章邯令王離、涉間圍鉅鹿，章邯軍其南，築甬道而輸之粟[65]。陳餘為將，將卒數萬人而軍鉅鹿之北，此所謂河北之軍也。

　　楚兵已破於定陶，懷王恐，從盱台之[66]彭城，並項羽、呂臣軍自將之。以呂臣為司徒[67]，以其父呂青為令尹[68]，以沛公為碭郡長[69]，封為武安侯，將碭郡兵。

　　初，宋義所遇齊使者高陵君顯在楚軍，見楚王曰："宋義論武信君之軍必敗，居數日，軍果敗。兵未戰而先見敗徵，此可謂知兵矣。"王召宋義與計事而大說之，因置以為上將軍；項羽為魯公，為次將，范增為末將，救趙。諸別將皆屬宋義，號為卿子冠軍。行至安陽，留四十六日不進。項羽曰："吾聞秦軍圍趙王鉅鹿，疾引兵渡河，楚擊其外，趙應其內，破秦軍必矣。"宋義曰："不然。夫搏牛之虻不可以破蟣蝨[70]。今秦攻趙，戰勝則兵罷，我承其敝；不勝，則我引兵鼓行而西，必舉秦矣。故不如先鬥秦趙[71]。夫被堅執銳，義不如公；坐而運策，公不如義。"因下令軍中曰："猛如虎，很如羊，貪如狼，強不可使者[72]，皆斬之！"乃遣其子宋襄相齊，身送之至無鹽[73]，飲酒高會[74]。天寒大雨，士卒凍飢。項羽曰："將戮力[75]而攻秦，久留不行。今歲饑[76]民貧，士卒食芋菽[77]，軍無見[78]糧，乃[79]飲酒高會，不引兵渡河因趙食[80]，與趙并力攻秦，乃曰'承其敝'。夫以秦之強，攻新造[81]之趙，其勢必舉趙。趙舉而秦強，何敝之承！且國兵新破[82]，王坐不安席，埽境內而專屬於將軍[83]，國家安危，在此一舉。今不恤士卒而徇其私[84]，非社稷[85]之臣！"項羽晨朝[86]上將軍宋義，即其帳中斬宋義頭[87]，出令軍中曰："宋義與齊謀反楚，楚王陰令[88]羽誅之。"當是時，諸將皆慴服，莫敢枝梧[89]，皆曰："首立楚者，將軍家也。今將軍誅亂。"乃相與共立羽為假上將軍。使人追宋義子，及之齊，殺之。使桓楚報命於懷王[90]。懷王因使項羽為上將軍。當陽君、蒲將軍皆屬項羽。

項羽已殺卿子冠軍，威震楚國，名聞諸侯。乃遣當陽君、蒲將軍將卒二萬渡河[91]，救鉅鹿。戰少利[92]，陳餘復請兵。項羽乃悉引兵渡河，皆沉船，破釜甑[93]，燒廬舍，持三日糧，以示士卒必死，無一還心[94]。於是至則圍王離,與秦軍遇,九戰,絕其甬道,大破之,殺蘇角,虜王離。涉間不降楚,自燒殺。當是時,楚兵冠諸侯[95]。諸侯軍救鉅鹿下者十餘壁[96],莫敢縱兵[97]。及楚擊秦,諸將皆從壁上觀[98]。楚戰士無不一以當十。楚兵呼聲動天,諸侯軍無不人人惴恐[99]。於是已破秦軍,項羽召見諸侯將,入轅門[100],無不膝行而前[101],莫敢仰視。項羽由是始為諸侯上將軍,諸侯皆屬焉。

章邯軍棘原[102],項羽軍漳南[103],相持未戰。秦軍數卻[104],二世使人讓[105]章邯。章邯恐,使長史欣請事[106]。至咸陽,留司馬門[107]三日,趙高不見,有不信之心。長史欣恐,還走其軍,不敢出故道[108]。趙高果使人追之,不及。欣至軍,報曰:“趙高用事於中[109],下無可為者。今戰能勝,高必疾妒吾功;戰不能勝,不免於死。願將軍孰計之[110]。”陳餘亦遺[111]章邯書曰:“白起為秦將,南征鄢郢[112],北阬馬服[113],攻城略地,不可勝計[114],而竟賜死。蒙恬為秦將,北逐戎人[115],開榆中地數千里[116],竟斬陽周[117]。何者?功多,秦不能盡封,因以法誅之。今將軍為秦將三歲矣,所亡失以十萬數[118],而諸侯並起滋益多[119]。彼趙高素諛日久,今事急,亦恐二世誅之,故欲以法誅將軍以塞責,使人更代[120]將軍以脫其禍。夫將軍居外久,多內郤[121],有功亦誅,無功亦誅。且天之亡秦,無[122]愚智皆知之。今將軍內不能直諫,外為亡國將,孤特獨立[123]而欲常存,豈不哀哉!將軍何不還兵與諸侯為從[124]，約共攻秦，分王其地[125]，南面稱孤[126]，此孰與身伏鈇質[127]，妻子為僇[128]乎？”章邯狐疑[129]，陰使候始成使項羽，欲約。約未成，項羽使蒲將軍日夜引兵度三戶[130]，軍漳南，與秦戰，再破之。項羽悉引兵擊秦軍汙水上[131]，大破之。

　　章邯使人見項羽，欲約。項羽召軍吏謀曰：“糧少，欲聽其約。”軍吏皆曰：“善。”項羽乃與期洹水南殷墟上[132]。已盟[133]，章邯見項羽而流涕[134]，為言趙高[135]。項羽乃立章邯為雍王[136]，置楚軍中。使長史欣為上將軍，將秦軍為前行[137]。

　　到新安[138]。諸侯吏卒異時故徭使屯戍[139]過秦中，秦中吏卒遇之多無狀[140]。及秦軍降諸侯，諸侯吏卒乘勝多奴虜使之[141]，輕折辱秦吏卒[142]。秦吏卒多竊言[143]曰：“章將軍等詐吾屬[144]降諸侯，今能入關破秦，大善；即[145]不能，諸侯虜吾屬而東，秦必盡誅吾父母妻子。”諸將微聞其計[146]，以告項羽。項羽乃召黥布、蒲將軍計曰：“秦吏卒尚眾，其心不服，至關中不聽[147]，事必危。不如擊殺之，而獨與章邯、長史欣、都尉翳入秦。”於是楚軍夜擊阬秦卒二十餘萬人新安城南。

## 注釋

63. 河：指黃河。
64. 皆走入鉅鹿城：都逃入鉅鹿城。鉅鹿，原為戰國時趙國的一座城，秦朝在此設置鉅鹿縣，在今河北省平鄉縣境內。

65. 築甬道而輸之粟：甬道，兩旁築牆的通道；輸之粟，給王離、間涉輸送軍糧。

66. 之：往，到……去。

67. 司徒：掌政教的高級官員。

68. 令尹：東周時代楚國的執政首相，這裏用的是楚國制度。

69. 碭郡長：碭郡的郡守。

70. 搏牛之蝱不可以破蟣蝨：大意是以手擊牛之背，可以殺其上的牛蝱，而不能夠擊破其內裏的蟣子和蝨子，比喻率軍滅秦，若魯莽與章邯力戰，如不能夠獲勝，徒費力氣也。

71. 鬥秦趙：使秦國和趙國相互僵持抵消其實力。

72. 強不可使者：強，倔強。全句意為倔強不服從命令者。

73. 無鹽：今山東省東平縣東。

74. 高會：大會賓客。

75. 戮力：合力，並力。

76. 歲饑：該年收成不好。

77. 芋菽：芋，薯類；菽，豆類。

78. 見：同"現"，現成的。

79. 乃：卻，竟然。

80. 因趙食：依靠趙國的糧食來食用。因，憑藉。

81. 新造：剛剛建立的。

82. 國兵新破：指項梁兵敗並死於定陶，楚王遷於彭城之事。

83. 埽境內而專屬於將軍：埽，同"掃"，盡，這裏是全部集中的意思；專屬於將軍，都託付給你宋義了。

84. 不恤士卒而徇其私：恤，體恤；不恤士卒，不體恤士卒的寒冷和飢餓。徇，謀求；徇其私，為自己謀求私利，指送其子宋襄為齊相之事。

85. 社稷：社，土地神，也指古代祭祀土地神之處；稷，穀神，也是古代祭祀穀神之處。土地與糧食是古代農業文明最為重要的兩樣東西，是政治和權力的保障和象徵，因此，社稷是當時國家的象徵。

86. 晨朝：早晨參見。

87. 即其帳中斬宋義頭：就在上將軍的大帳中砍了宋義的頭。即：便，就。

88. 陰令：私底下，暗地裏命令。

89. 枝梧：本指架屋的小柱與斜柱，枝梧相抵，引申為抵抗、抗拒之意。

90. 使桓楚報命於懷王：派桓楚將項羽誅殺宋義，眾將軍擁立項羽為假上將軍之事報告給楚王。

91. 河：這裏指漳河。

92. 少利：勝利不多。因此後文有陳餘請求增兵之事。

93. 釜甑：釜，鍋；甑，做飯用的一種瓦器。

94. 無一還心：絕沒有一點後退的意思。

95. 楚兵冠諸侯：楚兵在諸侯軍中為最強盛者。

96. 壁：營壘。

97. 縱兵：出兵與秦軍戰。

98. 從壁上觀：在營壘後遠遠地觀望。

99. 惴恐：內心驚恐和不安。

100. 轅門：即營門。古時軍營用兩輛兵車豎起車轅相對為門，所以叫轅門。

101. 膝行而前：跪着向前走。

102. 棘原，今不可考其所在，應在今河北省邯鄲市境內。

103. 漳南：漳水之南。

104. 數卻：屢次撤退。

105. 讓：問責，責備。

106. 使長史欣請事：長史欣，司馬欣，當時是章邯的長史。秦漢時期的高級官員都配有長史，一般為一人，相當於高級官員的副

手，負責具體事務的安排和協調監督下級官吏的執行。請事，
即請示。

107. 司馬門：宮廷的外門。宮廷重地所在，四面都會有兵衛把守，古
時掌軍政之官為司馬，故而總稱宮廷外門為司馬門。

108. 不敢出故道：不敢從原路返回。

109. 用事於中：用事，掌權，擅權；中：指朝廷。

110. 孰計之：仔細考慮這個問題。孰，“熟”的本字。

111. 遣：送交。

112. 鄢郢：戰國時楚國首都。秦將白起攻克鄢郢，楚遷都於陳，後又
屢次遷都，最後在壽春（今安徽壽春）為秦所滅。

113. 北阬馬服：馬服，指趙將趙括，他被封為馬服君。此句指白起北
破趙括軍，活埋趙軍降卒四十萬人一事，詳見《史記·廉頗藺相
如列傳》。

114. 不可勝計：勝，能夠，可以。不可勝計，多得不能夠計數。

115. 戎人：指當時的匈奴。

116. 開榆中地數千里：榆中，榆林塞，亦名榆谿。蒙恬率秦軍驅逐匈
奴，在今內蒙古境內的黃河北岸一帶樹榆為塞，拓數千里疆土，
此為榆中之地。

117. 陽周：在今陝西省延安市北子長縣境內。

118. 以十萬數：拿十萬作為基數來計算，言其極多。

119. 滋益多：越來越多。

120. 更代：派人替代，接替。

121. 多內郤：朝廷中有怨仇的人多，主要指與趙高關係破裂之事。
郤，同“隙”，裂縫，裂痕。

122. 無：無論。

123. 孤特獨立：就是孤立。孤、特、獨三字同義，三字疊加加強孤單
之意。

124. 從：即“縱”，合縱，指聯合攻秦。

125. 分王其地：分割秦地，各自為王。

126. 南面稱孤：就是稱王。南面，面朝南。古代天子、諸侯都南面聽政，所以用南面表示稱王。孤，古代帝王的自稱。

127. 孰與身伏鈇質：孰與，表示“……跟……相比怎麼樣”的意思。身伏鈇質：即身遭刑戮。伏，趴；鈇同斧，斬人用的刑具；質同鑕，斬人時所墊的砧板。

128. 妻子為僇：為，被；僇，通“戮”。

129. 狐疑：猶豫不決。

130. 度三戶：度同渡。三戶，漳水上的渡口，在今天河北省臨漳縣西。

131. 汙水：漳水的一條支流，發源於太行山脈武安山，在三戶附近向北流入漳水，今天已經消失。

132. 項羽乃與期洹水南殷墟上：時在秦二世三年即公元前207年七月。洹水南殷虛：即今天河南安陽殷墟遺址。

133. 已盟：已經訂立誓約。

134. 流涕：流淚。

135. 為言趙高：對項羽說被趙高陷害之事。

136. 項羽乃立章邯為雍王：春秋戰國時代的秦國處在古九州之雍州之地，因此項羽封章邯為雍王，即秦地之王。

137. 前行：先鋒，先頭部隊。

138. 新安：在今河南省洛陽市西部。

139. 異時故徭使屯戍：異時，從前；故，曾經；徭使屯戍，被派徭役去駐守邊疆。

140. 遇之多無狀：遇，對待；無狀，沒有樣子，不像樣子，指無禮。

141. 奴虜使之：像對待奴隸一樣使喚秦兵卒。

142. 輕折辱秦吏卒：輕，隨便；折辱，侮辱。

143. 竊言：私下說，偷偷說。

144. 詐吾屬：詐，欺騙；吾屬，我們這班人，我們。

145. 即：如果。

146. 微聞其計：察訪到秦吏卒的私語。

147. 至關中不聽：到了秦地關中而不聽從命令和指揮。

　　行略定秦地[148]。函谷關[149]有兵守關，不得入。又聞沛公已破咸陽，項羽大怒，使當陽君等擊關，項羽遂入，至於戲西[150]。沛公軍霸上[151]，未得與項羽相見。沛公左司馬曹無傷使人言於項羽曰："沛公欲王關中，使子嬰為相，珍寶盡有之。"項羽大怒，曰："旦日饗士卒，為擊破沛公軍！"當是時，項羽兵四十萬，在新豐鴻門[152]，沛公兵十萬，在霸上。范增說項羽曰："沛公居山東時，貪於財貨，好美姬。今入關，財物無所取，婦女無所幸[153]，此其志不在小。吾令人望其氣，皆為龍虎，成五采，此天子氣也[154]。急擊勿失。"

　　楚左尹[155]項伯者，項羽季父也，素善[156]留侯張良。張良是時從沛公，項伯乃夜馳之沛公軍，私見張良，具告以事[157]。欲呼張良與俱去，曰："毋從俱死也。"張良曰："臣為韓王送沛公，沛公今事有急，亡去[158]不義，不可不語。"良乃入，具告沛公。沛公大驚，曰："為之奈何？"張良曰："誰為大王為此計者？"曰："鯫生[159]說我曰：'距關，毋內[160]諸侯，秦地可盡王也。'故聽之。"良曰："料大王士卒足以當[161]項王乎？"沛公默然，曰："固[162]不如也，且為之奈何？"張良曰："請往謂項伯，言沛公不敢背項王也。"沛公曰："君安與項伯有故<sup>163</sup>？"張良曰："秦時與臣遊<sup>164</sup>，項伯殺人，臣活之<sup>165</sup>。今事有急，故幸來告良。"沛公曰："孰與君少長<sup>166</sup>？"良曰："長於臣。"沛公曰："君為我呼入，吾得兄事之<sup>167</sup>。"張良出，要<sup>168</sup>項伯。項伯即入見沛公。沛公奉巵酒為壽<sup>169</sup>，約為婚姻<sup>170</sup>，曰："吾入關，秋毫<sup>171</sup>不敢有所近，籍吏民<sup>172</sup>，封府庫，而待將軍。所以遣將守關者，備他盜之出入與非常<sup>173</sup>也。日夜望將軍至，豈敢反乎！願伯具言臣之不敢倍德<sup>174</sup>也。"項伯許諾，謂沛公曰："旦日不可不蚤<sup>175</sup>自來謝項王。"沛公曰："諾。"於是項伯復夜去，至軍中，具以沛公言報項王，因言曰："沛公不先破關中，公豈敢入乎？今人有大功而擊之，不義也，不如因<sup>176</sup>善遇之。"項王許諾。

沛公旦日從百餘騎來見項王，至鴻門，謝曰："臣與將軍戮力而攻秦，將軍戰河北，臣戰河南，然不自意<sup>177</sup>能先入關破秦，得復見將軍於此。今者有小人之言，令將軍與臣有郤。"項王曰："此沛公左司馬曹無傷言之；不然，籍<sup>178</sup>何以至此。"項王即日因留沛公與飲。項王、項伯東嚮坐<sup>179</sup>，亞父南嚮坐。亞父者，范增也。沛公北嚮坐，張良西嚮侍。范增數目<sup>180</sup>項王，舉所佩玉玦<sup>181</sup>以示之者三，項王默然不應。范增起，出召項莊，謂曰："君王為人不忍<sup>182</sup>，若<sup>183</sup>入前為壽，壽畢，請以劍舞，因擊沛公於坐，殺之。不者<sup>184</sup>，若屬皆且為所虜<sup>185</sup>。"莊則入為壽。壽畢，曰："君王與沛公飲，軍中無以為樂，請以劍舞。"項王曰："諾。"項莊拔劍起舞，項伯亦拔劍起舞，常以身翼蔽[186]沛公，莊不得擊。於是張良至軍門見樊噲，樊噲曰："今日之事何如？"良曰："甚急！今者項莊拔劍舞，其意常在沛公也。"噲曰："此迫矣，臣請入，與之同命[187]。"噲即帶劍擁盾入軍門。交戟之衛士欲止不內，樊噲側其盾以撞，衛士仆地，噲遂入，披帷西嚮立，瞋目[188]視項王，頭髮上指，目眥盡裂[189]。項王按劍而跽[190]曰："客何為者？"張良曰："沛公之參乘[191]樊噲者也。"項王曰："壯士！賜之卮酒。"則與斗卮酒。噲拜謝，起，立而飲之。項王曰："賜之彘肩[192]。"則與一生彘肩。樊噲覆其盾於地，加彘肩上，拔劍切而啗[193]之。項王曰："壯士，能復飲乎？"樊噲曰："臣死且不避，卮酒安足辭[194]！夫秦王有虎狼之心，殺人如不能舉[195]，刑人如不恐勝[196]，天下皆叛之。懷王與諸將約曰：'先破秦入咸陽者王之。'今沛公先破秦入咸陽，豪毛不敢有所近，封閉宮室，還軍霸上，以待大王來。故遣將守關者，備他盜出入與非常也。勞苦而功高如此，未有封侯之賞，而聽細說[197]，欲誅有功之人，此亡秦之續耳，竊為大王不取也。"項王未有以應，曰："坐！"樊噲從良坐[198]。坐須臾，沛公起如廁[199]，因招樊噲出。

沛公已出，項王使都尉陳平召沛公。沛公曰："今者出，未辭也，為之奈何？"樊噲曰："大行不顧細謹[200]，大禮不辭小讓[201]。如今人方為刀俎[202]，我為魚肉，何辭為！」於是遂去。乃令張良留謝。良問曰：「大王來何操[203]？」曰：「我持白璧一雙，欲獻項王；玉斗一雙，欲與亞父。會[204]其怒，不敢獻。公為我獻之。」張良曰：「謹諾。」當是時，項王軍在鴻門下，沛公軍在霸上，相去四十里。沛公則置車騎，脫身獨騎，與樊噲、夏侯嬰、靳強、紀信等四人持劍盾步走，從酈山[205]下，道芷陽間行[206]。沛公謂張良曰：「從此道至吾軍，不過二十里耳。度[207]我至軍中，公乃入。」沛公已去，間至軍中。張良入謝，曰：「沛公不勝桮杓[208]，不能辭。謹使臣良奉白璧一雙，再拜獻大王足下；玉斗一雙，再拜奉大將軍足下。」項王曰：「沛公安在？」良曰：「聞大王有意督過[209]之，脫身獨去，已至軍矣。」項王則受璧，置之坐上。亞父受玉斗，置之地，拔劍撞而破之，曰：「唉！豎子不足與謀[210]。奪項王天下者，必沛公也。吾屬今為之虜矣。」沛公至軍，立誅殺曹無傷。

## 注釋

148. 行略定秦地：將率軍自新安向西奪取關中之地。行，行將，將要。

149. 函谷關：在今河南省靈寶市區北十五公里的王垛村。從後文可知，這裏的守軍實際上是劉邦的軍隊。

150. 戲西：戲水之西。戲水是渭河的一條支流，發源於驪山，其地大約在今天陝西省臨潼境內。

151. 霸上：即灞上，灞水之西的白鹿原，在今陝西省西安市東南。

152. 新豐鴻門：新豐，在今陝西省西安市臨潼區新豐鎮；鴻門，今陝西省臨潼縣新豐鎮鴻門堡村。

153. 幸：寵幸，寵愛。

154. 天子氣也：方士之言。秦漢方士有通過望氣來預測的方術。在東南沿海地區方術尤其盛行。氣是一個很特殊的概念，近似於一種只有方士才能發現的特殊徵候。

155. 左尹：楚官名，相當於令尹的副手。

156. 素善：向來（與張良）關係很好。

157. 具告以事：將項羽要攻打劉邦的事詳細地告訴了張良。

158. 亡去：逃離。

159. 鯫生：淺薄愚陋的小人。"鯫"，小魚。

160. 內：同"納"。

161. 當：擋住，抵擋。

162. 固：當然。

163. 君安與項伯有故：安，何，怎麼；有故，有交情。

164. 遊：交遊，交往。

165. 活之：使之活，使他免於死罪。

166. 孰與君少長：項伯跟你相比年紀誰大誰小。

167. 兄事之：像對待兄長一樣待他。

168. 要：堅持邀請。

169. 奉巵酒為壽：巵，酒器；為壽，古時在向尊者獻酒之前的致詞祝頌叫為壽。

170. 約為婚姻：約定彼此聯姻。

171. 秋毫：秋天動物身上新長出的細毛，比喻極細微的東西。

172. 籍吏民：登記官吏和百姓人口。

173. 非常：意外的事件。

174. 倍德：忘恩負義。

175. 旦日不可不蚤：旦日，明天；蚤同早。

176. 因：藉此機會，趁機。

177. 不自意：自己沒有想到。

178. 籍：項羽名籍，這是他的自稱。

179. 東嚮坐：面朝東坐。這是表示尊貴。

180. 數目：頻頻使眼色。

181. 玦：半環形的佩玉。

182. 忍：狠，絕決。

183. 若：你。

184. 不者：不然的話。"不"，讀如"否"。

185. 若屬皆且為所虜：若屬，你們這班人；且，將；為所虜，被劉邦所侮辱。

186. 翼蔽：像鳥一樣用翅膀掩護。

187. 與之同命：跟沛公共生死。

188. 瞋目：瞪大眼睛。

189. 目眥盡裂：眼眶都要裂開了，形容其怒目狀。眥，眼眶。

190. 跽：半跪，挺直上身跪起來。古人席地而坐，坐時臀部壓在小腿上，小腿跪地。半跪則是挺直上身，臀部從小腿上抬起來。挺直上身就顯得身子長了，因此也稱長跪。

191. 參乘：即"驂乘"，也稱"陪乘"，古代主將戰車上居於右側擔任護衛的武士，又叫"車右"。

192. 彘肩：一條完整的豬腿。

193. 啗：吃。

194. 卮酒安足辭：杯酒怎值得推辭。

195. 舉：細數，枚舉。

196. 如不恐勝：惟恐不及。

197. 細說：小人之言。

198. 從良坐：挨着張良坐下。

199. 如廁：上廁所。如：往。

200. 大行不顧細謹：大行，做大事；細謹，細小的禮節。

201. 大禮不辭小讓：大禮，把握大節；辭，迴避；小讓，小的失誤。

202. 刀俎：刀和切肉的砧板。

203. 來何操：來的時候帶了些什麼。

204. 會：正趕上，恰巧。

205. 酈山：即驪山。

206. 道芷陽間行：道，取道，經過；芷陽，在今陝西省西安市臨潼區芷陽村；間行，抄小道走。

207. 度：估計。

208. 栖杓：栖，同“杯”；杓，取酒的用具，像今天的長柄勺。栖杓代指酒。

209. 督過：責怪，責備。

210. 豎子不足與謀：豎子，等於說小子，奴才；不足與謀，不配與之策劃和商量。這句話是范增明罵項莊，而實罵項羽的。


居數日，項羽引兵西屠咸陽，殺秦降王子嬰，燒秦宮室，火三月不滅，收其貨寶婦女而東。人或說[211]項王曰：“關中阻山河四塞[212]，地肥饒，可都以霸[213]。”項王見秦宮室皆以燒殘破，又心懷思欲東歸，曰：“富貴不歸故鄉，如衣繡夜行[214]，誰知之者！”說者曰：“人言楚人沐猴而冠[215]耳，果然[216]。”項王聞之，烹說者。

項王使人致命[217]懷王，懷王曰：“如約[218]。”乃尊懷王為義帝[219]。項王欲自王，先王諸將相，謂曰：“天下初發難時，假立諸侯後[220]以伐秦。然身被堅執銳首事[221]，暴露於野三年，滅秦定天下者，皆將相諸君與籍之力也。義帝雖無功[222]，故當[223]分其地而王之。"諸將皆曰："善！"乃分天下，立諸將為侯王。項王、范增疑沛公之有天下[224]，業已講解[225]，又惡負約[226]，恐諸侯叛之，乃陰謀曰："巴、蜀[227]道險，秦之遷人[228]皆居蜀。"乃曰："巴、蜀亦關中地也。"故立沛公為漢王，王巴、蜀、漢中，都南鄭[229]。而三分關中，王秦降將以距塞[230]漢王。項王乃立章邯為雍王，王咸陽以西，都廢丘[231]。長史欣者，故為櫟陽獄掾，嘗有德於項梁；都尉董翳者，本勸章邯降楚。故立司馬欣為塞王，王咸陽以東至河，都櫟陽；立董翳為翟王，王上郡[232]，都高奴[233]。徙魏王豹為西魏王，王河東[234]，都平陽[235]。瑕丘申陽者，張耳嬖臣[236]也，先下河南，迎楚河上，故立申陽為河南王，都雒陽。韓王成因故都，都陽翟[237]。趙將司馬卬定河內[238]，數有功，故立卬為殷王，王河內，都朝歌[239]。徙趙王歇為代王。趙相張耳素賢，又從入關，故立耳為常山王，王趙地，都襄國[240]。當陽君黥布為楚將，常冠軍，故立布為九江王，都六[241]。鄱君吳芮率百越[242]佐諸侯，又從入關，故立芮為衡山王，都邾[243]。義帝柱國共敖將兵擊南郡，功多，因立敖為臨江王，都江陵[244]。徙燕王韓廣為遼東王。燕將臧荼從楚救趙，因從入關，故立荼為燕王，都薊[245]。徙齊王田市為膠東王。齊將田都從共救趙，因從入關，故立都為齊王，都臨淄[246]。故秦所滅齊王建孫田安，項羽方渡河救趙，田安下濟北數城，引其兵降項羽，故立安為濟北王，都博陽。田榮者，數負項梁，又不肯將兵從楚擊秦，以故不封。成安君陳餘棄將印去，不從入關，然素聞其賢，有功於趙，聞其在南皮[247]，故因環封三縣[248]。蕃君將梅鋗功多，故封十萬戶侯。項王自立為西楚霸王，王九郡，都彭城。

## 注釋

211. 人或說：有人曾遊說。

212. 阻山河四塞：阻，倚仗；四塞，四面險要的地形。

213. 可都以霸：可以建都於此，稱霸天下。

214. 衣繡夜行：穿着錦繡服飾深夜出行。指雖然衣着光鮮，卻無人看到，沒有滿足感。

215. 沐猴而冠：獼猴戴上人的帽子。這是譏諷項羽徒具人形，不悟人事。沐猴，獼猴。

216. 果然：果如人言。

217. 致命：報告，請示。

218. 如約：指按先前所說“先破秦入咸陽者王之”的約定辦。如，依照，遵循。

219. 義帝：名義上的皇帝。

220. 假立諸侯後：假立，暫時封立；諸侯後，指六國諸侯的後代，如熊心、韓成、田假、趙歇等。

221. 身被堅執銳首事：親身起兵反秦。

222. 雖無功：明明沒有功勞。

223. 故當：本來就應該。

224. 疑沛公之有天下：擔心劉邦有稱霸天下的實力。

225. 講解：和解。

226. 惡負約：惡，不願意；負約，違背誓約。

227. 巴、蜀：巴，周代有巴國，範圍相當於今天的四川東半部；蜀，古蜀國之地，相當於今天的四川省西半部。

228. 遷人：被流放的人。

229. 南鄭：今陝西省南鄭縣。

230. 距塞：隔斷，堵住。

231. 廢丘：周代此地名犬丘，周懿王將周代首都從鎬遷於此地。秦改名廢丘，漢代在此設置槐里縣。在今天陝西省興平縣境內。

232. 上郡：相當於今陝西省北部和與陝西相鄰的內蒙古南部一帶。

233. 高奴：在今陝西省延安市東北。

234. 河東：今山西省西南部黃河以東地區。

235. 平陽：在今山西省臨汾縣南。

236. 嬖臣：寵臣。

237. 陽翟：戰國時韓國的國都，秦時在此地設陽翟縣，即今天的河南省禹縣。

238. 河內：黃河山西省以東的北岸地區。

239. 朝歌：商代後期的首都，在今河南省淇縣東北。

240. 襄國：今河北省邢台縣西南。

241. 六：春秋時有國名六，秦代設為六縣，後漢改為六安縣，即今安徽省六安縣。

242. 百越：種族名，為春秋越國的遺族。楚滅越，越民徙居五嶺一帶，又徙至福建、廣東各地，隨地立君，號稱百越。

243. 邾：在今湖北省黃岡縣西北。

244. 江陵：即今湖北省江陵市。

245. 薊：在今北京市西南。

246. 臨淄：今山東省淄博市臨淄區。

247. 南皮：秦代在此設縣，今河北省南皮縣東北。

248. 環封三縣：把南皮周圍三縣封給陳餘。

　　漢之元年[249]四月，諸侯罷戲下[250]，各就國[251]。項王出之國，使人徙義帝[252]，曰："古之帝者地方千里，必居上游。"乃使使徙義帝長沙郴縣[253]。趣義帝行，其群臣稍稍背叛之[254]，乃陰令衡山、臨江王擊殺之江中。韓王成無軍功，項王不使之國，與俱至彭城，廢以為侯，已[255]又殺之。臧荼之國，因逐韓廣之遼東，廣弗聽，荼擊殺廣無終[256]，並王其地。

　　田榮聞項羽徙齊王市膠東，而立齊將田都為齊王，乃大怒，不肯遣齊王之膠東，因以齊反，迎擊田都。田都走楚。齊王市畏項王，乃亡之膠東就國。田榮怒，追擊殺之即墨。榮因自立為齊王，而西擊殺濟北王田安，並王三齊[257]。榮與彭越將軍印，令反梁地[258]。陳餘陰使張同、夏說說齊王田榮曰："項羽為天下宰[259]，不平[260]。今盡王故王於醜地[261]，而王其群臣諸將善地，逐其故主，趙王乃北居代，餘以為不可。聞大王起兵，且不聽不義[262]，願大王資[263]餘兵，請以擊常山，以復趙王，請以國為扦蔽[264]。"齊王許之，因遣兵之趙。陳餘悉發三縣兵，與齊並力擊常山[265]，大破之。張耳走歸漢。陳餘迎故趙王歇於代，反之趙。趙王因立陳餘為代王。

　　是時，漢還定三秦[266]，項羽聞漢王皆已併關中，且東[267]，齊、趙叛之[268]，大怒。乃以故吳令鄭昌為韓王，以距漢。令蕭公角等擊彭越。彭越敗蕭公角等。漢使張良徇韓，乃遺項羽書曰：「漢王失職[269]，欲得關中，如約即止，不敢東。」又以齊、梁反書遺項王曰：「齊欲與趙並滅楚。」楚以此故無西意，而北擊齊。徵兵九江王布。布稱疾不往，使將將數千人行。項王由此怨布也。漢之二年冬，項羽遂北至城陽，田榮亦將兵會戰。田榮不勝，走至平原[270]，平原民殺之。遂北燒夷[271]齊城郭室屋，皆坑田榮降卒，繫虜[272]其老弱婦女。徇齊至北海，多所殘滅。齊人相聚而叛之。於是田榮弟田橫收齊亡卒得數萬人，反城陽。項王因留，連戰未能下。

　　春，漢王部五諸侯兵，凡五十六萬人，東伐楚。項王聞之，即令諸將擊齊，而自以精兵三萬人南從魯[273]出胡陵。四月，漢皆已入彭城，收其貨寶美人，日置酒高會。項王乃西從蕭，晨擊漢軍而東，至彭城，日中，大破漢軍。漢軍皆走，相隨入谷、泗水，殺漢卒十餘萬人。漢卒皆南走山，楚又追擊至靈壁東睢水上。漢軍卻，為楚所擠，多殺[274]，漢卒十餘萬人皆入睢水，睢水為之不流。圍漢王三匝[275]。於是大風從西北而起，折木發屋[276]，揚沙石，窈冥晝晦[277]，逢迎[278]楚軍。楚軍大亂，壞散[279]，而漢王乃得與數十騎遁去[280]。欲過沛，收家室而西；楚亦使人追之沛，取漢王家，家皆亡[281]，不與漢王相見。漢王道逢得孝惠、魯元[282]，乃載行。楚騎追漢王，漢王急，推墮孝惠、魯元車下，滕公[283]常下收載之，如是者三。曰：“雖急不可以驅，奈何棄之！”於是遂得脫。求太公、呂后不相遇。審食其從太公、呂后間行，求漢王，反遇楚軍。楚軍遂與歸，報項王，項王常置軍中[284]。

是時呂后兄周呂侯為漢將兵居下邑[285]，漢王間往從之，稍稍收其士卒。至滎陽，諸敗軍皆會。蕭何亦發關中老弱未傅悉詣滎陽[286]，復大振。楚起於彭城，常乘勝逐北，與漢戰滎陽南京、索[287]間，漢敗楚，楚以故不能過滎陽而西。

項王之救彭城，追漢王至滎陽，田橫亦得收齊，立田榮子廣為齊王。漢王之敗彭城，諸侯皆復與[288]楚而背漢。漢軍滎陽，築甬道屬之河[289]，以取敖倉[290]粟。漢之三年，項王數侵奪漢甬道，漢王食乏，恐，請和，割滎陽以西為漢。

項王欲聽之。歷陽侯范增曰：“漢易與[291]耳，今釋弗取，後必悔之。”項王乃與范增急圍滎陽。漢王患之，乃用陳平計間[292]項王。項王使者來，為太牢具[293]，舉欲進之。見使者，詳[294]驚愕曰：“吾以為亞父使者，乃反項王使者。”更持去，以惡食食項王使者[295]。使者歸報項王。項王乃疑范增與漢有私，稍奪之權。范增大怒，曰：“天下事大定矣，君王自為之。願賜骸骨歸卒伍[296]。”項王許之。行未至彭城，疽[297]發背而死。

漢將紀信說漢王曰：“事已急矣，請為王誑楚為王[298]，王可以間出。"於是漢王夜出女子滎陽東門被甲二千人，楚兵四面擊之。紀信乘黃屋車[299]，傅左纛[300]，曰："城中食盡，漢王降。"楚軍皆呼萬歲。漢王亦與數十騎從城西門出，走成皋。項王見紀信，問："漢王安在？"信曰："漢王已出矣。"項王燒殺紀信。

漢王使御史大夫周苛、樅公、魏豹守滎陽。周苛、樅公謀曰："反國之王，難與守城。"乃共殺魏豹。楚下滎陽城，生得[301]周苛。項王謂周苛曰："為我將，我以公為上將軍，封三萬戶。"周苛罵曰："若不趣[302]降漢，漢今虜若，若非漢敵也。"項王怒，烹周苛，並殺樅公。

漢王之出滎陽，南走宛、葉[303]，得九江王布，行收兵，復入保成皋。漢之四年，項王進兵圍成皋，漢王逃，獨與滕公出成皋北門，渡河走修武，從張耳、韓信軍。諸將稍稍得出成皋，從漢王。楚遂拔成皋，欲西。漢使兵距之鞏[304]，令其不得西。

是時，彭越渡河擊楚東阿，殺楚將軍薛公。項王乃自東擊彭越。漢王得淮陰侯兵，欲渡河南[305]。鄭忠說漢王，乃止壁河內[306]。使劉賈將兵佐彭越，燒楚積聚。項王東擊破之，走彭越[307]。漢王則引兵渡河，復取成皋，軍廣武[308]，就敖倉食。項王已定[309]東海來，西，與漢俱臨廣武而軍，相守數月。

當此時，彭越數反梁地，絕楚糧食，項王患之。為高俎[310]，置太公其上，告漢王曰："今不急下，吾烹太公。"漢王曰："吾與項羽俱北面受命懷王，曰'約為兄弟'，吾翁即若翁。必欲烹而翁[311]，則幸分我一桮羹[312]。"項王怒，欲殺之。項伯曰："天下事未可知，且為天下者不顧家，雖殺之無益，祇益禍耳[313]。"項王從之。

楚、漢久相持未決，丁壯苦軍旅，老弱罷轉漕[314]。項王謂漢王曰："天下匈匈[315]數歲者，徒以吾兩人耳，願與漢王挑戰決雌雄，毋徒苦天下之民父子為也[316]。"漢王笑謝曰："吾寧鬥智，不能鬥力。"項王令壯士出挑戰。漢有善騎射者樓煩[317]，楚挑戰三合，樓煩輒射殺之。項王大怒，乃自被甲持戟挑戰。樓煩欲射之，項王瞋目叱之，樓煩目不敢視，手不敢發，遂走還入壁，不敢復出。漢王使人間問[318]之，乃項王也。漢王大驚。於是項王乃即漢王相與臨廣武間[319]而語。漢王數之[320]，項王怒，欲一戰。漢王不聽。項王伏弩[321]射中漢王。漢王傷，走入成皋。

項王聞淮陰侯已舉河北，破齊、趙，且欲擊楚，乃使龍且往擊之。淮陰侯與戰，騎將灌嬰擊之，大破楚軍，殺龍且。韓信因自立為齊王。項王聞龍且軍破，則恐，使盱台人武涉往說淮侯[322]。淮陰侯弗聽。是時，彭越復反，下梁地，絕楚糧。項王乃謂海春侯大司馬曹咎等曰："謹守成皋，則漢欲挑戰，慎勿與戰，毋令得東[323]而已。我十五日必誅彭越，定梁地，復從將軍。"乃東，行擊陳留、外黃。

外黃不下。數日，已降，項王怒，悉令男子年十五已上詣城東，欲阬之。外黃令舍人兒[324]年十三，往說項王曰：「彭越強劫外黃，外黃恐，故且降，待大王。大王至，又皆阬之，百姓豈有歸心？從此以東，梁地十餘城皆恐，莫肯下矣。」項王然其言[325]，乃赦外黃當阬者。東至睢陽[326]，聞之皆爭下[327]項王。

漢果數挑楚軍戰，楚軍不出。使人辱之，五六日，大司馬怒，渡兵汜水[328]。士卒半渡，漢擊之，大破楚軍，盡得楚國貨賂[329]。大司馬咎、長史翳、塞王欣皆自剄汜水上。大司馬咎者，故蘄獄掾，長史欣亦故櫟陽獄吏，兩人嘗有德於項梁，是以項王信任之。當是時，項王在睢陽，聞海春侯軍敗，則引兵還。漢軍方圍鍾離眜於滎陽東，項王至，漢軍畏楚，盡走險阻[330]。

是時，漢兵盛食多，項王兵罷食絕。漢遣陸賈說項王，請太公，項王弗聽。漢王復使侯公往說項王，項王乃與漢約，中分天下。割鴻溝[331]以西者為漢，鴻溝而東者為楚。項王許之。即歸漢王父母妻子。軍皆呼萬歲。漢王乃封侯公為平國君，匿弗肯復見[332]。曰：「此天下辯士，所居傾國，故號為平國君。」項王已約，乃引兵解而東歸。

## 注釋

249. 漢之元年：公元前206年。劉邦在這一年二月稱漢王。當時天下尚未統一，各國都有自己的紀元，司馬遷著史時為統一後漢代的太史令，所以用漢之紀元。

250. 諸侯罷戲下：諸侯各自從戲水旁撤軍。

251. 就國：到自己的封國去。

252. 徙義帝：逼迫楚王遷離彭城。

253. 長沙郴縣：長沙，秦代設立的郡，範圍包括今天湖南省岳陽市以南、冷水江市以東，東至江西省南昌市西部，南至南嶺的區域；郴縣，今湖南省郴州市，在當時屬於極為偏遠的地區。

254. 其群臣稍稍背叛之：楚王的群臣開始漸漸背叛他。

255. 已：不久，很快。

256. 荼擊殺廣無終：臧荼在無終將韓廣擊殺。無終，秦設有無終縣，隋代改為漁陽，今河北省薊縣。

257. 三齊：齊、膠東、濟北三國。

258. 榮與彭越將軍印，令反梁地：田榮把將軍的大印送給彭越，令他在梁地起兵反叛項羽。

259. 為天下宰：主持天下的事，指分封諸侯一事。

260. 不平：不公道，不公平。

261. 醜地：壞地方，與下句"善地"相對。

262. 不聽不義：不遵從不義之命。

263. 資：提供，幫助。

264. 請以國為扞蔽：願舉國作為齊的外衛和屏障。扞蔽，外衛，屏障。

265. 與齊並力擊常山：陳餘、張耳原本是好友，後來產生矛盾，這裏陳餘是藉恢復趙國為名，藉助田榮來打擊張耳。

266. 漢還定三秦：指漢元年八月，劉邦擊敗章邯，收復雍國，第二年塞、翟兩國投降劉邦之事。

267. 且東：將引兵向東。

268. 齊、趙叛之：指田榮殺田都、田市、田安，並王三齊，陳餘擊破常山王張耳，迎還趙王歇。

269. 失職：失去應該得到的封地，即未能完全佔有關中之地。

270. 平原：今山東省平原縣南。

271. 燒夷：燒平。

272. 繫虜：俘虜。繫，用繩索捆綁。

273. 魯：今山東省曲阜市。

274. 多殺：多遭殺傷。

275. 三币：币，"匝"的異體字，環繞一周。三币，三層。

276. 折木發屋：吹斷樹木，掀去屋頂。

277. 窈冥晝晦：大風吹起的塵沙，莽莽蒼蒼，遮天蔽日，雖是白晝，如同夜晚。

278. 逢迎：迎面而來。

279. 壞散：崩潰。

280. 遁去：逃走。

281. 家皆亡：家人都已經走散。

282. 孝惠、魯元：劉邦的子女。孝惠為劉盈，後繼承了帝位，死後謚號為孝惠。魯元為劉盈的姐姐，嫁給張耳之子張敖，生子魯王張偃，死後謚元，故稱魯元。

283. 滕公：夏侯嬰，當時任太僕。他曾任滕令，因此也稱滕公。

284. 常置軍中：扣留在軍營中，當作人質。

285. 周呂侯為漢將兵居下邑：周呂侯，呂澤，周呂為漢統一後的封號；下邑，秦代所設縣，今江蘇省徐州市碭山縣東。

286. 發關中老弱未傅悉詣滎陽：未傅，未曾載入名冊不符合兵役年齡的人，古代達到服兵役的年齡和條件稱為傅，一般指男子二十三歲至五十六歲之間，身高六尺二寸以上才符合條件；詣，前往。

287. 京、索：京，滎陽縣東南二十里的一座城市；索，滎陽縣又稱大索城。

288. 與：歸附。

289. 屬之河：把滎陽和黃河南岸連接起來。屬，連接。

290. 敖倉：秦設在黃河岸邊的大型糧食儲備倉庫。

291. 易與：容易對付。

292. 間：離間，指離間項王與范增的關係。

293. 太牢具：古代祭祀或宴會，牛、羊、豕三者齊備叫太牢。具，飯食，酒餚。

294. 詳：同“佯”。

295. 以惡食食項王使者：惡食，粗劣的飯食；食項王使者，給項王使者吃，食在此處為動詞。

296. 願賜骸骨歸卒伍：賜骸骨，意思是乞身告老。古人把做官看作委身於人，進退不能自主，因此辭官叫乞身。歸卒伍，回鄉為民。古時戶籍以五戶為伍，三百家為卒。卒伍，指鄉里。

297. 疽：深至骨的毒瘡。

298. 誑楚為王：冒充劉邦去誑騙楚軍。誑，同“誆”，欺詐。

299. 黃屋車：以黃繒為車蓋裏子的車，天子所乘。

300. 左纛：用毛羽做的類似旗子的裝飾物，插於車衡左上方。

301. 生得：活捉。

302. 趣：趕快。

303. 宛、葉：宛，今河南省南陽市；葉，今河南省葉縣南三十里。

304. 鞏：秦代所設置的縣，在今河南省鞏縣西南。

305. 欲渡河南：意欲渡黃河而南，取成皋、滎陽。

306. 止壁河內：在黃河北岸紮營。

307. 走彭越：擊潰彭越。

308. 廣武：山名，在滎陽縣境內。

309. 定：平定。

310. 高俎：高大的切肉的案板。

311. 而翁：即若翁，你老子。

312. 幸分我一桮羹：請分給我一杯羹湯。

313. 祇益禍耳：徒增禍患而已。

314. 罷轉漕：疲於水陸運輸。陸運糧草為轉，水運為漕。

315. 匈匈：同"洶洶"，動亂，紛擾不寧。

316. 毋徒苦天下之民父子為也：不要使天下的老百姓空受痛苦。

317. 樓煩：北方遊牧民族之一，其人善騎射。這裏指善於騎射的士卒。

318. 間問：打聽。

319. 即漢王相與臨廣武間：即，靠近，走近；廣武間，當作"廣武澗"。

320. 數之：當面列舉項羽罪狀。《史記·高祖本紀》載有劉邦所列項羽十條罪狀，可參看。

321. 伏弩：埋伏的弓箭手。

322. 武涉往說淮侯：武涉說淮陰侯的內容是勸說淮陰侯背漢聯楚，三分天下。詳見《淮陰侯列傳》。

323. 毋令得東：不要讓漢軍得以東進。

324. 外黃令舍人兒：外黃縣令的門客之子。

325. 然其言：認為他說得對。

326. 睢陽：秦置睢陽縣，即今河南省商丘市。

327. 爭下：爭着投降。

328. 氾水：黃河的一條支流，向北流入黃河，在滎陽縣境內。

329. 貨賂：財物。

330. 盡走險阻：悉數逃往山河險要之地。

331. 鴻溝：秦始皇時開鑿的一條運河，將滎陽境內的黃河引向東南連接淮泗，是當時漕運的主要路線之一。

332. 匿弗肯復見：侯公藏起來不願再見劉邦，以示不圖封賞。


漢欲西歸。張良、陳平說曰："漢有天下太半，而諸侯皆附之。楚兵罷食盡，此天亡楚之時也，不如因其機而遂取之[333]。今釋弗擊，此所謂‘養虎自遺患’也。”漢王聽之。漢五年，漢王乃追項王至陽夏[334]南，止軍，與淮陰侯韓信、建成侯彭越期會[335]而擊楚軍。至固陵[336]，而信、越之兵不會。楚擊漢軍，大破之。漢王復入壁，深塹[337]而自守。謂張子房曰：“諸侯不從約，為之奈何？”對曰：“楚兵且破，信、越未有分地[338]，其不至固宜[339]。君王能與共分天下，今可立致[340]也。即不能，事未可知也[341]。君王能自陳以東傅海[342]，盡與韓信；睢陽以北至谷城[343]，以與彭越：使各自為戰，則楚易敗也。”漢王曰：“善。”於是乃發使者告韓信、彭越曰：“並力擊楚。楚破，自陳以東傅海與齊王，睢陽以北至谷城與彭相國。”使者至，韓信、彭越皆報曰：“請今進兵。”韓信乃從齊往，劉賈軍從壽春並行[344]，屠城父，至垓下[345]。大司馬周殷叛楚，以舒屠六[346]，舉九江兵[347]，隨劉賈、彭越皆會垓下，詣項王。

項王軍壁垓下，兵少食盡，漢軍及諸侯兵圍之數重。夜聞漢軍四面皆楚歌，項王乃大驚曰：“漢皆已得楚乎？是何楚人之多[348]也！”項王則夜起，飲帳中。有美人名虞，常幸從；駿馬名騅，常騎之。於是項王乃悲歌忼慨，自為詩曰：“力拔山兮氣蓋世，時不利兮騅不逝。騅不逝兮可奈何，虞兮虞兮奈若何！”歌數闋[349]，美人和之[350]。項王泣數行下，左右皆泣，莫能仰視。

於是項王乃上馬騎，麾下壯士騎從者八百餘人，直[351]

虞姬

夜潰圍南出，馳走。平明，漢軍乃覺之，令騎將灌嬰以五千騎追之。項王渡淮，騎能屬[352]者百餘人耳。項王至陰陵[353]，迷失道，問一田父[354]，田父紿[355]曰：“左。”左，乃陷大澤中，以故漢追及之。項王乃復引兵而東，至東城[356]，乃有二十八騎。漢騎追者數千人。項王自度不得脫。謂其騎曰：“吾起兵至今八歲矣，身七十餘戰，所當者破，所擊者服，未嘗敗北，遂霸有天下。然今卒困於此，此天之亡我，非戰之罪也。今日固決死，願為諸君快戰，必三勝之，為諸君潰圍[357]，斬將，刈[358]旗，令諸君知天亡我，非戰之罪也。”乃分其騎以為四隊，四向。漢軍圍之數重。項王謂其騎曰：“吾為公取彼一將。”令四面騎馳下，期山東為三處[359]。於是項王大呼馳下，漢軍皆披靡[360]，遂斬漢一將。是時，赤泉侯[361]為騎將，追項王，項王瞋目而叱之，赤泉侯人馬俱驚，辟易[362]數里。與其騎會為三處。漢軍不知項王所在，乃分軍為三，復圍之。項王乃馳，復斬漢一都尉，殺數十百人，復聚其騎，亡其兩騎耳。乃謂其騎曰：“何如？”騎皆伏曰：“如大王言。”

於是項王乃欲東渡烏江。烏江亭長檥船待[363]，謂項王曰：“江東雖小，地方千里，眾數十萬人，亦足王也。願大王急渡。今獨臣有船，漢軍至，無以渡。”項王笑曰：“天之亡我，我何渡為[364]！且籍與江東子弟八千人渡江而西，今無一人還，縱[365]江東父兄憐而王我，我何面目見之？縱彼不言，籍獨不愧於心乎？”乃謂亭長曰：“吾知公長者。吾騎此馬五歲，所當無敵，嘗一日行千里，不忍殺之，以賜公。”乃令騎皆下馬步行，持短兵[366]接戰。獨籍所殺漢軍數百人。項王身亦被十餘創，顧見[367]漢騎司馬呂馬童，曰：“若非吾故人乎？”馬童面之，指王翳曰：“此項王也。”項王乃曰：“吾聞漢購我頭千金，邑萬戶，吾為若德[368]。”乃自刎而死。王翳取其頭，餘騎相蹂踐爭項王，相殺者數十人。最其後，郎中騎楊喜、騎司馬呂馬童、郎中呂勝、楊武，各得其一體。五人共會其體，皆是。故分其地為五：封呂馬童為中水侯，封王翳為杜衍侯，封楊喜為赤泉侯，封楊武為吳防侯，封呂勝為涅陽侯。

項王已死。楚地皆降漢，獨魯不下。漢乃引天下兵欲屠之；為其守禮義，為主死節[369]，乃持項王頭示魯，魯父兄乃降。始，楚懷王初封項籍為魯公，及其死，魯最後下，故以魯公禮葬項王谷城。漢王為發哀，泣之而去。

諸項氏枝屬[370]，漢王皆不誅，乃封項伯為射陽侯。桃侯、平皋侯、玄武侯皆項氏，賜姓劉。

# 注釋

333. 因其機而遂取之：趁此良機一舉拿下項羽。

334. 陽夏：今河南省太康縣。

335. 期會：約好日期匯合。

336. 固陵：在今河南省淮陽縣西北。

337. 深塹：挖深壕溝。

338. 未有分地：沒有明確的分封之地。

339. 固宜：也是有情可原。

340. 立致：諸侯軍立刻就會前來。

341. 即不能，事未可知也：如果不能分封韓信、彭越，局勢的發展還很難預料。

342. 自陳以東傅海：陳，即今河南省淮陽縣；傅，到達。

343. 谷城：今山東省東阿縣南。

344. 從壽春並行：從壽春出發，與韓信軍並行南下。壽春：今安徽壽縣壽春鎮。

345. 垓下：在今安徽省靈壁縣東南，泗縣西南方向。

346. 以舒屠六：以舒地的軍隊屠殺六地的軍民。舒，今安徽省舒城縣。

347. 九江兵：黥布的軍隊。

348. 何楚人之多：怎麼楚人這麼多。

349. 闋：樂曲每終了一次叫一闋。"數闋"就是幾遍。

350. 美人和之：《楚漢春秋》記載的美人和歌為："漢兵已略地，四
　　　方楚歌聲。大王意氣盡，賤妾何聊生！"

351. 直：同"值"，當，趁。

352. 屬：跟從，跟上。

353. 陰陵：秦所置縣，今安徽省定遠縣西北。

354. 田父：耕田人。

355. 紿：欺騙。

356. 東城：秦代所設置的縣，今安徽省定遠縣東南。

357. 潰圍：衝破包圍。

358. 刈：割，砍。

359. 期山東為三處：約定在山的東面分三處集合。

360. 披靡：草木隨風仆倒的樣子，在此形容漢軍的驚恐之貌。在項羽
　　　面前漢軍如同草在風中倒下一樣潰散。

361. 赤泉侯：楊喜，赤泉侯是他在漢統一之後的封號。

362. 辟易：嚇退。

363. 艤船待：將船停在岸邊等待。艤，攏船靠岸。

364. 何渡為：還過江幹什麼。

365. 縱：即使。

366. 短兵：短小的兵器。

367. 顧見：回頭看見。

368. 為若德：送給你們一點兒好處。

369. 死節：堅守節操。

370. 枝屬：宗族。


太史公曰[371]：吾聞之周生曰"舜目蓋重瞳子"[372]，

又聞項羽亦重瞳子。羽豈其苗裔[373]邪？何興之暴[374]也！夫秦失其政，陳涉首難，豪傑蠭起，相與並爭，不可勝數。然羽非有尺寸乘埶[375]，起隴畝之中[376]，三年，遂將五諸侯[377]滅秦，分裂天下，而封王侯，政由羽出，號為"霸王"，位雖不終，近古以來未嘗有也。及羽背關懷楚[378]，放逐義帝而自立，怨王侯叛己，難矣。自矜功伐[379]，奮其私智而不師古[380]，謂霸王之業，欲以力征[381]經營天下，五年卒亡其國，身死東城，尚不覺寤[382]而不自責，過矣。乃引"天亡我，非用兵之罪也"，豈不謬哉！

## 注釋

371. 太史公曰：以下是司馬遷的論讚，即評論。

372. 周生曰"舜目蓋重瞳子"：周生，漢代的學者；蓋，大概；重瞳子，兩個瞳孔。

373. 苗裔：後代。

374. 何興之暴：怎麼發展得如此迅速，指項羽從普通人成為一代霸王的經歷。

375. 尺寸乘埶：尺寸，形容很少；埶，同"勢"，權勢，權柄。

376. 隴畝之中：田野之中，指民間。

377. 五諸侯：戰國時的齊、趙、韓、魏、燕五個諸侯國，這時也一起起兵反秦。

378. 背關懷楚：捨棄關中，因思念家鄉而東歸。

379. 自矜功伐：矜，誇耀；功伐，功勞。

380. 奮其私智而不師古：極力施展其個人智慧而不去效法古人成功的先例。奮，極力施展。

381. 力征：以武力征伐。

382. 寤：覺悟，覺醒。

# 串講

《項羽本紀》是《史記》中的名篇，記載了項羽的戎馬生涯。

本篇首先介紹了項羽家世，由其叔父項梁一直追溯到其祖父項燕，以強調項羽本就是楚國大將的後人，有着不俗的身世。然後轉入對項羽童年軼事的津津有味的陳述。項羽小時曾學書學劍，均未有成就。項梁為此不免不快。項羽以"書，足以記名姓而已。劍，一人敵，不足學。學萬人敵"為由，令項梁轉而教其兵法。之後，項羽跟隨項梁逃到吳中避難。秦始皇遊覽會稽郡渡浙江時，窺看的項羽說："彼可取而代也。"

項羽身高八尺有餘，力能抗鼎，才氣超人。在異鄉的吳中，當地的年輕人對其十分敬畏。秦二世元年（前209）七月，陳涉等在大澤鄉起義。當年九月，項梁和項羽奪取會稽郡，控制了吳中地區，擁有一支八千人精兵。是年，項羽二十四歲。

之後，項梁暫時成為故事主角。從其與陳嬰合兵，到大敗秦嘉、薛縣聚會諸將、立楚國後人為王，勢力逐步壯大。在項梁開始有自滿的情緒後，遭到了應有的失敗，在定陶被殺。早已有人預見了項梁的失敗，他就是宋義，楚懷王因此任命他為上將軍，率軍去解救在鉅鹿城被章邯圍困的趙軍，他卻因為故意拖延進攻時間，被項羽所殺。項羽由此被任命為新的上將軍。隨後的鉅鹿之戰，項羽破釜沉舟，令軍隊在必死的境地中大敗秦軍，從此，項羽威震楚國，名揚諸侯。

章邯投降之後，項羽將秦軍二十萬人坑殺於新安城南，之前其也曾將整個襄城軍民活埋。項羽率軍進攻秦地之時，在函谷關遇到阻擋，又聽說劉邦已攻下咸陽，其大怒。加之劉邦手下曹無傷的告密和范增的分析，項羽決定傾全力攻擊劉邦。項羽叔叔項伯因曾被張良所救，連夜趕去劉邦大營，勸張良離開。劉邦得以面見項羽，為自己開脫。於是就有了第二日的鴻門宴；有了項莊舞劍，意在沛公；有了樊噲的壯士之舉。鴻門宴上放走劉邦，是項羽一生中最關鍵的失策。宴後，項羽又一次大開殺戒，屠戮咸陽城，火燒秦宮室。

秦滅之後，諸侯將領紛紛被項羽封王，項羽自立為西楚霸王，把劉邦分到了偏遠的四川。在項羽忙着攻打齊地的田榮的時候，劉邦佔領了關中。此時項羽又一次延誤了戰機，放過了劉邦，全力攻齊。公元前205年春天，劉邦聯合其他五部諸侯，五十六萬兵力，東進伐楚。但項羽僅率領三萬精兵，就在彭城把劉邦打得落花流水，漢軍有十幾萬人被殺，漢軍逃兵奔入睢水，睢水為之不流。如不是天氣突變，大風襲來，劉邦是不可能活着逃走的。楚軍還俘獲了劉邦的父親和老婆作為人質。

漢高祖三年(前204)，項羽將劉邦先後圍於滎陽、成皋，劉邦卻再一次逃走。之後劉邦獲得對張耳、韓信、彭越軍隊的指揮權，與項羽相持不下。由於彭越和韓信的牽制，項羽逐漸處於被動。但此時的項羽對漢軍仍具有巨大的威儀，即使在漢軍大敗成皋楚軍的優勢下，漢軍一看到項羽帶兵前來，紛紛逃入山中躲避。由此，劉邦和項羽劃鴻溝而分天下，劉邦換回了自己的父親和夫人，項羽則東歸楚地。

漢高祖五年（前202），劉邦聯合韓信、彭越，大舉追擊項羽，在垓下將其團團圍住。末路的項羽深夜聽到了四面的楚歌，以為大勢已去，帳中飲酒，慷慨悲歌："力拔山兮氣蓋世，時不利兮騅不逝。騅不逝兮可奈何，虞兮虞兮奈若何！"美女虞姬在旁應和，項羽泣下數行，"左右皆泣，莫能仰視"。隨後項羽連夜突圍。即使此時，項羽仍展示了其出色的軍事天才，在僅剩二十八個騎兵的時候，項羽排出的軍陣仍能在漢軍中縱橫自如。

自負的項羽終究擺脫不了悲劇命運，最後因自覺無顏見江東父老，自刎烏江邊。

# 評析

《史記》是天地間第一等文字，《項羽本紀》則是《史記》中第一流篇章。司馬遷所仰慕者往往是英雄俠客，而《項羽本紀》就是一篇英雄之文。

英雄之文首先是模狀英雄。明代李贄稱項羽"自是千古英雄"，何以見得？在一"勇"字：項羽是名副其實的勇冠三軍，看他上將軍帳中殺宋義，如拾草芥；破釜沉舟，絕地大破秦軍，威震諸侯；彭城大戰，以三萬軍馬大戰數十萬漢軍，漢軍潰敗，睢水為之不流；垓下突圍，二十八騎在萬軍中縱橫自如。處處是剛勇之舉，處處豪氣干雲。在一"殺"字：項羽性格中還有極為慓悍的一面，《項羽本紀》中，司馬遷還用大量的文字記述了項羽兇殘的一面，如殺會稽守，殺宋義，殺襄城軍民，坑二十萬秦卒，屠咸陽，弒義帝，故而楊維楨認為項羽"嗜殺如嗜食"。在一"情"字：垓下之圍，項羽不捨美人與烏騅馬，慷慨悲歌，泣下數行；聯繫項羽少年時的軼事，他的形象一下子血肉豐滿起來。在一"命"字：項羽本無統一天下之志，因此篇中項羽"由微而盛，由盛而亡"，早先由八千人隨叔叔起兵，至威懾天下的西楚霸王，爾後日漸衰微，直至烏江自刎，全在他胸中沒有經營天下的大志，只為經營自身，榮身東歸而已，這種胸襟造就了項羽的悲劇命運。

"羽之神勇，千古無二。太史公以神勇之筆寫神勇之人，亦千古無二。"英雄之文需要英雄之筆，司馬遷敘寫項羽之筆，筆力奇偉，可謂英雄之筆。在記載項羽一生的過程中，將整個秦末戰爭的千頭萬緒融合了進去，如百川並流，化作一條線索，娓娓道來。看似一人一傳一條線，一筆下去，但細看來，卻有千筆萬筆展現出來，如項梁事、陳嬰事、義帝事、章邯事、田榮事，一一解出，收放自如，虛筆與實筆互用，神理一片。在文章中，司馬遷又往往以"東"、"西"二字為眼目，如"引軍而西"、"解而東歸"、"無西意，北擊齊"等等。大致上，項羽伐秦則必然是由東而西。滅秦後，田榮作亂，項羽由西而東征討之。與劉邦交戰，項羽又西向進軍，後又解而東歸。在一東一西之間，百萬兵馬湧動。透過太史公力透紙背的筆墨，我們可以隱約聽見萬千鐵騎中原逐鹿的馬鳴風嘯，一個時代的風雲際會藉此篇展開，其筆法若不是英雄之筆，又有哪兩個字能夠形容？

"本紀"一體，為司馬遷獨創，後代史書都將"本紀"視為非帝王不可用。但司馬遷本意卻不是如此，如《項羽本紀》、《呂后本紀》，項羽、呂后都不曾做帝王，但也都列入"本紀"。司馬遷本意應該如張照所言："特以天下之權之所在，則其人繫天下之本，即謂之'本紀'。"也就是說，"本紀"一體，實際上是借寫掌控天下權勢之人，寫天下事。“本紀”也就成為一個時代大事的載體。後世史家雖然將“本紀”列為帝王的專利，但也將這種記錄時代大事的“本紀”筆法保留了下來。

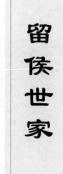

留侯世家

留侯[1]張良者，其先韓人也。大父[2]開地，相韓昭侯、宣惠王、襄哀王。父平，相釐王、悼惠王。悼惠王二十三年[3]，平卒。卒二十歲，秦滅韓。良年少，未宦事韓[4]。韓破，良家僮三百人，弟死不葬，悉以家財求客[5]刺秦王，為韓報仇，以大父、父五世相韓故。

良嘗學禮[6]淮陽。東見倉海君。得力士，為鐵椎重百二十斤。秦皇帝東遊，良與客狙擊秦皇帝博浪沙[7]中，誤中副車[8]。秦皇帝大怒，大索[9]天下，求賊[10]甚急，為張良故也。良乃更名姓，亡匿[11]下邳。

良嘗閒從容步遊下邳圯[12]上，有一老父，衣褐[13]，至良所，直墮其履圯下[14]，顧謂良曰："孺子，下取履！"良鄂然，欲毆之。為其老，強忍，下取履。父曰："履我！"良業為取履，因長跪履之。父以足受[15]，笑而去。良殊大驚，隨目之[16]。父去里所[17]，復還，曰："孺子可教矣。後五日平明[18]，與我會此。"良因怪之，跪曰："諾。"五日平明，良往。父已先在，怒曰："與老人期[19]，後，何也？"去[20]，曰："後五日早會。"五日雞鳴，良往，父又先在，復怒曰："後，何也？"去，曰："後五日復早來。"五日，良夜未半往。有頃[21]，父亦來，喜曰："當如是。"出一編書[22]，曰："讀此則為王者師[23]矣。後十年興[24]。十三年孺子見我濟北，谷城山下黃石即我矣。"遂去，無他言，不復見。旦日視其書，乃《太公兵法》也。良因異之，常習誦讀之。

居下邳，為任俠[25]。項伯常[26]殺人，從良匿。

後十年，陳涉等起兵，良亦聚少年百餘人。景駒自立為楚假王，在留。良欲往從之，道遇沛公。沛公將數千人，略地下邳西，遂屬焉。沛公拜良為廄將[27]。良數以《太公兵法》說沛公，沛公善之，常用其策。良為他人言，皆不省[28]。良曰：「沛公殆[29]天授。」故遂從之，不去見景駒。

及沛公之薛，見項梁。項梁立楚懷王。良乃說項梁曰：「君已立楚後，而韓諸公子橫陽君成賢，可立為王，益樹黨[30]。」項梁使良求韓成，立以為韓王。以良為韓申徒，與韓王將千餘人西略韓地，得數城，秦輒復取之，往來為遊兵潁川[31]。

沛公之從雒陽南出軒轅[32]，良引兵從沛公，下韓十餘城，擊破楊熊軍。沛公乃令韓王成留守陽翟，與良俱南，攻下宛，西入武關[33]。沛公欲以兵二萬人擊秦嶢下軍[34]，良說曰：「秦兵尚強，未可輕[35]。臣聞其將屠者子[36]，賈豎易動以利[37]。願沛公且留壁，使人先行，為五萬人具食[38]，益為張旗幟諸山上[39]，為疑兵，令酈食其持重寶啗秦將[40]。」秦將果畔[41]，欲連和俱西襲咸陽，沛公欲聽之。良曰：「此獨其將欲叛耳，恐士卒不從。不從必危，不如因其解[42]擊之。」沛公乃引兵擊秦軍，大破之。逐北至藍田[43]，再戰，秦兵竟敗[44]。遂至咸陽，秦王子嬰降沛公。

沛公入秦宮，宮室帷帳狗馬重寶婦女以千數，意欲留居之。樊噲諫沛公出舍[45]。沛公不聽。良曰：“夫秦為無道，故沛公得至此。夫為天下除殘賊，宜縞素為資[46]。今始入秦，即安其樂，此所謂‘助桀為虐’。且‘忠言逆耳利於行，毒藥苦口利於病’，願沛公聽樊噲言。”沛公乃還軍霸上。

項羽至鴻門下，欲擊沛公，項伯乃夜馳入沛公軍，私見張良，欲與俱去。良曰：“臣為韓王送沛公，今事有急，亡去不義。”乃具以語沛公。沛公大驚，曰：“為將奈何？”良曰：“沛公誠欲倍項羽邪？”沛公曰：“鯫生教我距關無內諸侯，秦地可盡王，故聽之。”良曰：“沛公自度能卻[47]項羽乎？”沛公默然良久，曰：“固不能也。今為奈何？”良乃固要項伯。項伯見沛公。沛公與飲為壽，結賓婚。令項伯具言沛公不敢倍項羽，所以距關者，備他盜也。及見項羽後解，語在《項羽》事中。

漢元年[48]正月，沛公為漢王，王巴蜀。漢王賜良金百溢[49]，珠二斗，良具以獻項伯。漢王亦因令良厚遺[50]項伯，使請漢中地。項王乃許之，遂得漢中地。漢王之國，良送至褒中[51]，遣良歸韓。良因說漢王曰：“王何不燒絕所過棧道[52]，示天下無還心[53]，以固項王意[54]。”乃使良還。行，燒絕棧道。

良至韓，韓王成以良從漢王故，項王不遣成之國，從與俱東。良說項王曰：“漢王燒絕棧道，無還心矣。”乃

漢高祖劉邦

以齊王田榮反書告項王。項王以此無西憂漢心，而發兵北擊齊。項王竟不肯遣韓王，乃以為侯，又殺之彭城。良亡，間行歸漢王，漢王亦已還定三秦矣。復以良為成信侯，從東擊楚。至彭城，漢敗而還。至下邑，漢王下馬踞鞍[55]而問曰："吾欲捐關以東等棄之[56]，誰可與共功者[57]？"良進曰："九江王黥布，楚枭將[58]，與項王有郤[59]；彭越與齊王田榮反梁地：此兩人可急使。而漢王之將獨韓信可屬大事[60]，當一面[61]。即欲捐之，捐之此三人，則楚可破也。"漢王乃遣隨何說九江王布，而使人連[62]彭越。及魏王豹反，使韓信將兵擊之，因舉燕、代、齊、趙。然卒破楚者，此三人力也。

張良多病，未嘗特將[63]也，常為畫策臣[64]，時時從漢王。

漢三年，項羽急圍漢王滎陽，漢王恐憂，與酈食其謀橈楚權[65]。食其曰："昔湯伐桀，封其後於杞。武王伐紂，封其後於宋。今秦失德棄義，侵伐諸侯社稷，滅六國之後，使無立錐之地。陛下誠能復立六國後世，畢已受印[66]，此其君臣百姓必皆戴陛下之德，莫不鄉風慕義[67]，願為臣妾[68]。德義已行，陛下南鄉[69]稱霸，楚必斂衽而朝[70]。"漢王曰："善。趣[71]刻印，先生因行佩之矣[72]。"

食其未行，張良從外來謁[73]。漢王方食[74]，曰："子房前！客有為我計橈楚權者。"具以酈生語告，曰："於子房何如[75]？"良曰："誰為陛下畫此計者？陛下事去矣。"漢王曰："何哉？"張良對曰："臣請藉前箸為大王籌之[76]。"曰："昔者湯伐桀而封其後於杞者，度[77]能制桀之死命也。今陛下能制項籍之死命乎？"曰："未能也。""其不可一也。武王伐紂封其後於宋者，度能得紂之頭也。今陛下能得項籍之頭乎？"曰："未能也。""其不可二也。武王入殷，表商容之閭[78]，釋箕子之拘[79]，封比干之墓[80]。今陛下能封聖人之墓，表賢者之閭，式[81]智者之門乎？"曰："未能也。""其不可三也。發鉅橋[82]之粟，散鹿台[83]之錢，以賜貧窮。今陛下能散府庫以賜貧窮乎？"曰："未能也。""其不可四矣。殷事已畢，偃革為軒[84]，倒置干戈，覆以虎皮[85]，以示天下不復用兵。

今陛下能偃武行文，不復用兵乎？"曰："未能也。""其不可五矣。休馬華山之陽[86]，示以無所為。今陛下能休馬無所用乎？"曰："未能也。""其不可六矣。放牛桃林之陰[87]，以示不復輸積[88]。今陛下能放牛不復輸積乎？"曰："未能也。""其不可七矣。且天下遊士[89]離其親戚，棄墳墓，去故舊，從陛下遊者，徒欲日夜望咫尺之地[90]。今復六國，立韓、魏、燕、趙、齊、楚之後，天下遊士各歸事其主，從其親戚，反其故舊墳墓，陛下與誰取天下乎？其不可八矣。且夫楚惟無強，六國立者復橈而從之[91]，陛下焉得而臣之？誠用客之謀，陛下事去矣。"漢王輟食吐哺[92]，罵曰："豎儒，幾敗而公[93]事！"令趣銷印。

漢四年[94]，韓信破齊而欲自立為齊王，漢王怒。張良說漢王，漢王使良授齊王信印，語在《淮陰》事中。

其秋，漢王追楚至陽夏南，戰不利而壁固陵，諸侯期不至。良說漢王，漢王用其計，諸侯皆至。語在《項籍》事中。

## 注釋

1. 留侯：張良第一次與劉邦相見在留，因此漢統一後封於留，故稱留侯。留，秦設縣，今江蘇省徐州市沛縣東南。
2. 大父：祖父。
3. 悼惠王二十三年：公元前 250 年。
4. 未宦事韓：不曾在韓國為官。

5. 求客：訪求刺客。

6. 禮：各種國家典章制度和家庭的禮儀規範。

7. 博浪沙：在今河南省原陽縣東南。

8. 副車：皇帝出行的侍從車輛。

9. 大索：大肆搜捕，通緝。

10. 賊：各類刺客。

11. 亡匿：逃亡躲藏。

12. 圮：橋，下邳附近的東楚地區稱橋為圮。

13. 衣褐：穿着短袍。褐，短袍，當時是下層人穿的衣服。

14. 直墮其履圮下：恰好將他的鞋子掉在了橋下。直，恰好，正好。

15. 以足受：伸着腳讓他給自己穿上。

16. 隨目之：順着老人離開的方向注視着他。

17. 里所：一里左右。

18. 平明：天剛亮的時刻。

19. 期：約會。

20. 去：離開。

21. 有頃：不一會。

22. 一編書：當時還沒有紙張，著作大都寫在竹簡上，用皮條或繩子編
    起來。

23. 王者師：帝王之師。

24. 興：應驗。

25. 任俠：相互信任為任，同情援助為俠。任俠就是與人相互信任，打
    抱不平。

26. 常：同"嘗"，曾經。

27. 廄將：掌管軍馬的將領。廄，馬房。

28. 不省：不能領悟。

29. 殆：近，大概。

30. 樹黨：樹，建立；黨，同盟。

31. 遊兵潁川：潁川，秦所設置的郡，相當於今天以平頂山市為中心的河南省東南部；遊兵，流動的軍隊，打游擊。

32. 軒轅：山名，在今河南省登封縣西北。

33. 武關：在今陝西省丹鳳縣東南。

34. 嶢下軍：嶢關附近的秦軍。嶢關在今陝西省藍田縣東南。

35. 未可輕：不可以輕敵。

36. 屠者子：屠夫的兒子。

37. 賈豎易動以利：對付這種商人用利益去誘惑更好。賈豎，對商人的貶稱。

38. 為五萬人具食：備足五萬人的軍糧。

39. 張旗幟諸山上：在四周的山上插上軍旗。

40. 啗秦將：賄賂秦將。啗，餵。

41. 果畔：果然叛變。

42. 解：懈怠。

43. 逐北至藍田：逐北，追擊敗軍；藍田，秦代在此設縣，今陝西省藍田縣西三十里。

44. 竟敗：徹底被打敗。

45. 諫沛公出舍：勸諫劉邦搬到秦宮之外居住。

46. 宜縞素為資：適合以樸素的行為來作為號召。縞素，"縞"和"素"都是白色絲綢，這裏比喻清白儉樸；資，憑藉之物，即資本，號召。

47. 卻：抵擋，擊退。

48. 漢元年：公元前206年。

49. 賜良金百溢：賜給張良二千兩金。金，指黃銅；溢，金屬二十兩為一溢。

50. 厚遺：厚贈。

51. 褒中：今陝西省漢中縣褒城鎮。

52. 棧道：山路難以通行之處，依傍山岩，架木板通行的交通設施。

53. 示天下無還心：做給天下人看，劉邦沒有東還的意思。

54. 固項王意：穩住項羽之心，使他不再有所疑慮劉邦有統一天下的野心。

55. 踞鞍：又開雙腿坐在馬鞍上。

56. 捐關以東等棄之：把函谷關以東等地拋棄掉。

57. 誰可與共功者：這句意思是函谷關以東的地區到底可以送給誰。

58. 梟將：猛將。

59. 有郤：關係有裂痕。郤，同"郤"，即隙，嫌隙也。

60. 可屬大事：可以託付大事。

61. 當一面：獨當一面。

62. 連：聯繫，聯合。

63. 特將：單獨率領軍隊。

64. 畫策臣：出謀劃策之人。

65. 橈楚權：削弱項羽的力量。

66. 畢已受印：六國的後人都已佩戴了各自的受封大印。

67. 鄉風慕義：在復立六國的形式面前，大家都會仰慕漢王的德義。

68. 願為臣妾：願意臣服劉邦。

69. 南鄉：南面。鄉，向。

70. 斂衽而朝：整理衣冠朝服漢王。衽，衣襟。

71. 趣：趕快，催促之詞。

72. 先生因行佩之矣：先生在出發分封六國後人時就可以帶着印前往了。

73. 謁：拜見。

74. 方食：正在吃東西。

75. 於子房何如：子房，你看這件事怎麼樣？

76. 藉前箸為大王籌之：借面前的筷子為大王籌劃目前的形勢。

77. 度：預計。

78. 表商容之閭：宣傳標榜商容的住處。表，標榜；商容，商紂王時期的賢人，曾想感化紂王而不能，然後隱居於太行山，周武王滅商後也想請他為三公之一，他沒有接受；閭，裏門。

79. 釋箕子之拘：將箕子從囚禁的地方釋放出來。箕子，紂王的叔父，勸諫紂王，被囚禁。

80. 封比干之墓：整修比干的墳墓。封，修封，實際上是整修；比干，紂王的叔父，死諫紂王，被紂王剖心而死。

81. 式：尊敬。

82. 鉅橋：紂王的糧倉所在地。

83. 鹿台：也稱南單台，是紂王的儲財之地。

84. 偃革為軒：廢棄兵車，改用日常禮儀用車。偃，停，息；革，兵車；軒，乘坐之車。

85. 覆：覆蓋。

86. 休馬華山之陽：把戰馬散放在華山的南面，不復使用。華山，即今天的西嶽華山。山南為陽。

87. 放牛桃林之陰：將運輸軍需的牛趕到桃林放牧。桃林，今陝西省潼關與河南省交界之地。

88. 輸積：運輸糧草。

89. 遊士：一個特殊的社會階層，形成於春秋時期，戰國時期最盛，以遊說諸侯，運用權謀為謀生手段，基本消失於漢武帝時期。

90. 徒欲日夜望咫尺之地：日夜企盼的只是希望得到一點點的封地。

91. 楚惟無強，六國立者復橈而從之：楚不強還好說，像楚這般的強盛，復立的六國會轉而屈從於楚的。

92. 輟食吐哺：停止進食，並將口中的食物吐出。

93. 而公：你老子。

94. 漢四年：公元前203年。


漢六年[95]正月，封功臣。良未嘗有戰鬥功，高帝曰："運籌策帷帳中[96]，決勝千里外，子房功也。自擇齊三萬戶[97]。"良曰："始臣起下邳，與上會留，此天以臣授陛下。陛下用臣計，幸而時中[98]，臣願封留足矣，不敢當三萬戶。"乃封張良為留侯，與蕭何等俱封。

上已封大功臣二十餘人，其餘日夜爭功不決，未得行封。上在雒陽南宮，從復道[99]望見諸將往往相與坐沙中語，上曰："此何語？"留侯曰："陛下不知乎？此謀反耳。"上曰："天下屬[100]安定，何故反乎？"留侯曰："陛下起布衣，以此屬取天下，今陛下為天子，而所封皆蕭、曹故人所親愛，而所誅者皆生平所仇怨。今軍吏計功，以天下不足遍封，此屬畏陛下不能盡封，恐又見疑平生過失及誅[101]，故即相聚謀反耳。"上乃憂曰："為之奈何？"留侯曰："上平生所憎，群臣所共知，誰最甚者？"上曰："雍齒與我故，數嘗窘辱我。我欲殺之，為其功多，故不忍。"留侯曰："今急先封雍齒以示群臣，群臣見雍齒封，則人人自堅[102]矣。"於是上乃置酒，封雍齒為什方侯，而急趣丞相、御史定功行封。群臣罷酒，皆喜曰："雍齒尚為侯，我屬無患矣。"

劉敬說高帝曰："都關中。"上疑之。左右大臣皆山東人，多勸上都雒陽："雒陽東有成皋，西有崤黽，倍河[103]，向伊雒，其固亦足恃。"留侯曰："雒陽雖有此固，其中小，不過數百里，田地薄，四面受敵，此非用武之國也。夫關中左崤函，右隴蜀，沃野千里，南有巴蜀之饒，北有胡苑[104]之利，阻三面而守，獨以一面東制諸侯，諸侯安定，河渭漕輓天下[105]，西給京師；諸侯有變，順流而下，足以委輸[106]。此所謂金城千里，天府之國也，劉敬說是也。」於是高帝即日駕[107]，西都關中。

留侯從入關。留侯性多病，即道引不食穀[108]，杜門不出[109]歲餘。

上欲廢太子，立戚夫人子趙王如意。大臣多諫爭，未能得堅決[110]者也。呂后恐，不知所為[111]。人或謂呂后曰：「留侯善畫計筴[112]，上信用之。」呂后乃使建成侯呂澤劫留侯[113]，曰：「君常為上謀臣，今上欲易太子，君安得高枕而臥[114]乎？」留侯曰：「始[115]上數在困急之中，幸用臣策。今天下安定，以愛欲易太子[116]，骨肉之間，雖臣等百餘人何益[117]。」呂澤[118]強要曰：「為我畫計。」留侯曰：「此難以口舌爭也。顧上有不能致者[119]，天下有四人。四人者年老矣，皆以為上慢侮人[120]，故逃匿山中，義不為漢臣。然上高[121]此四人。今公誠能無愛[122]金玉璧帛，令太子為書，卑辭安車[123]，因使辯士固請，宜來[124]。來，以為客，時時從入朝[125]，令上見之[126]，則必異而問之[127]。問之，上知此四人賢，則一助也[128]。」於是呂后令呂澤使人奉太子書，卑辭厚禮，迎此四人。四人至，客建成侯所[129]。

漢十一年，黥布反，上病，欲使太子將，往擊之。四人相謂曰：「凡來者，將以存太子[130]。太子將兵，事危矣。」乃說建成侯曰：「太子將兵，有功則位不益太子；

無功還，則從此受禍矣。且太子所與俱諸將[131]，皆嘗與上定天下梟將也，今使太子將之，此無異使羊將狼也，皆不肯為盡力，無功必矣。臣聞‘母愛者子抱’[132]，今戚夫人日夜侍御[133]，趙王如意[134]常抱居前[135]，上曰‘終不使不肖子居愛子之上[136]’，明乎其代太子位必矣。君何不急請呂后承間[137]為上泣言：‘黥布，天下猛將也，善用兵，今諸將皆陛下故等夷[138]，乃令太子將此屬，無異使羊將狼，莫肯為用，且使布聞之，則鼓行而西[139]耳。上雖病，強載輜車[140]，臥而護之，諸將不敢不盡力。上雖苦，為妻子自強[141]。’”於是呂澤立夜見[142]呂后，呂后承間為上泣涕而言，如四人意。上曰：“吾惟豎子固不足遣[143]，而公自行耳[144]。”於是上自將兵而東，群臣居守，皆送至灞上[145]。留侯病，自強起，至曲郵[146]，見上曰：“臣宜從[147]，病甚。楚人剽疾，願上無與楚人爭鋒。”因說上曰：“令太子為將軍，監關中兵。”上曰：“子房雖病，強臥而傅[148]太子。”是時叔孫通為太傅，留侯行少傅事[149]。

漢十二年，上從擊破布軍歸，疾益甚，愈欲易太子。留侯諫，不聽，因疾不視事[150]。叔孫太傅稱說引古今，以死爭太子。上詳許之，猶欲易之。及燕[151]，置酒，太子侍。四人從太子，年皆八十有餘，鬚眉皓白，衣冠甚偉。上怪之，問曰：“彼何為者？”四人前對，各言名姓，曰東園公，角里先生，綺里季，夏黃公[152]。上乃大驚，曰：“吾求公數歲，公辟逃我，今公何自從吾兒遊乎？”四人皆曰：“陛下輕士善罵，臣等義不受辱，故恐而亡匿。竊聞太子為人仁孝，恭敬愛士，天下莫不延頸欲為太子死者[153]，故臣等來耳。”上曰：“煩公幸卒調護太子。”

四人為壽已畢，趨去。上目送之，召戚夫人指示四人者曰：“我欲易之，彼四人輔之，羽翼已成，難動矣。呂后真而主[154]矣。”戚夫人泣，上曰：“為我楚舞，吾為若楚歌。”歌曰：“鴻鵠高飛，一舉千里。羽翮已就，橫絕四海。橫絕四海，當可奈何！雖有矰繳[155]，尚安所施[156]！”歌數闋，戚夫人噓唏流涕，上起之，罷酒。竟不易太子者，留侯本招此四人之力也。留侯從上擊代，出奇計馬邑[157]下，及立蕭何相國，所與上從容言天下事甚眾，非天下所以存亡，故不著[158]。

留侯乃稱曰：“家世相韓，及韓滅，不愛萬金之資，為韓報仇強秦，天下振動。今以三寸舌為帝者師，封萬戶，位列侯，此布衣之極，於良足矣。願棄人間事，欲從赤松子[159]遊耳。”乃學辟穀，道引輕身。會高帝崩，呂后德留侯[160]，乃強食之，曰：“人生一世間，如白駒過隙[161]，何至自苦如此乎！”留侯不得已，強聽而食。

後八年卒，諡為文成侯。子不疑代侯[162]。

子房始所見下邳圯上老父與《太公書》者，後十三年從高帝過濟北，果見谷城山下黃石，取而葆祠之[163]。留侯死，並葬黃石。每上塚伏臘[164]，祠黃石。

留侯不疑，孝文帝五年坐不敬[165]，國除[166]。

## 注釋

95. 漢六年：公元前201年，劉邦即皇帝位的第二年。

96. 運籌策帷帳中：在營帳內分析形勢，制定各種計謀策略。

97. 自擇齊三萬戶：自己選擇齊地的三萬戶作為封邑。齊地是當時最為
    富饒的地區之一。

98. 幸而時中：計謀幸而不時發揮作用。

99. 復道：洛陽南宮上下有道，稱為復道。

100. 屬：近。

101. 恐又見疑平生過失及誅：又害怕被懷疑到自己平日的過失，而因
     此牽連被殺。

102. 人人自堅：人人都會把懸着的心放下來，認為自己也會被封，不
     會被殺了。

103. 倍河：北面靠着黃河。

104. 胡苑：北方遊牧民族牧馬之地。

105. 河渭漕輓天下：藉黃河和渭水之利，可以利用漕運將天下的糧食
     集中過來。漕，水運為漕；輓，引。

106. 委輸：運送軍隊和糧草。

107. 駕：準備車馬出發。

108. 道引不食穀：養生之術。道引，也作導引，配合有肢體運動的氣
     功；不食穀，即辟穀，服食一種藥物，不吃煙火食物。

109. 杜門不出：閉門不出，既不見客，也不訪友。

110. 未能得堅決：沒有達成明確的決定。

111. 不知所為：不知道該怎麼做。

112. 筴：同“策”。

113. 建成侯呂澤劫留侯：建成侯呂澤，應為建成侯呂釋之，呂澤為周呂侯；劫留侯，強迫張良為呂后出謀劃策。

114. 高枕而臥：安適之狀。

115. 始：早先。

116. 以愛欲易太子：因為自己的喜好而想要更換太子。

117. 雖臣等百餘人何益：即使有像我這樣的一百多個人也不會有更好的辦法。

118. 呂澤：應為呂釋之。

119. 顧上有不能致者：然而皇上也不能請到的人。

120. 慢侮人：怠慢侮辱他人。

121. 高：尊重，看重。

122. 無愛：不吝惜。

123. 卑辭安車：卑辭，謙遜的措辭；安車，平穩的車輛。當時為了表示對賢人的尊崇，政府往往會在前去邀請的車輪上纏上莆草，以減小木製車輪與地面之間震動，此為安車。

124. 宜來：應該可以來。

125. 時時從入朝：經常跟隨太子入朝。

126. 令上見之：叫皇上看到他們。

127. 異而問之：奇怪而詢問此四人的來歷。

128. 則一助也：那麼就會對保住太子的位置有所幫助。

129. 客建成侯所：住在建成侯府中。

130. 凡來者，將以存太子：我們來到這裏無非是要保全太子。

131. 太子所與俱諸將：與太子一同前往的那些將領。

132. 母愛者子抱：當時的成語，出自《韓非子》，意思是喜歡一位媽媽也會抱起她的孩子。

133. 侍御：陪伴在皇帝身邊。

134. 趙王如意：戚夫人之子。

135. 常抱居前：經常被抱在劉邦面前。

136. 終不使不肖子居愛子之上：最終不會使我不成器的兒子（指太子）地位在我喜歡的兒子（指趙王如意）之上。

137. 承間：利用一個機會。

138. 等夷：那輩人。

139. 鼓行而西：無所畏懼，帶兵直接向關中而來。

140. 強載輜車：勉強乘坐有帷帳的大車。

141. 自強：自己堅持一下。

142. 立夜見：立即於當夜見。

143. 吾惟豎子固不足遣：我也擔心這小子本來沒有能力擔當此任。

144. 而公自行耳：你老子自己走一趟吧。

145. 灞上：即霸上，今陝西省西安市東。

146. 曲郵：在今陝西省臨潼縣東，古時稱為曲郵聚。

147. 臣宜從：我本來應該隨從皇上。

148. 傅：輔佐，指導。

149. 行少傅事：行使太子少傅的職責。

150. 因疾不視事：以疾病為緣由不參與時事政務。

151. 及燕：等到一次宴會之時。

152. 東園公，角里先生，綺里季，夏黃公：當時稱此四人為"商山四皓"。

153. 莫不延頸欲為太子死者：沒有不希望為太子出死力的。延頸，伸長脖子，意為希望。

154. 而主：你的主人。

155. 矰繳：射鳥用的工具。

156. 尚安所施：還有什麼地方可以下手呢！

157. 馬邑：今山西省朔州市朔城區。

158. 所與上從容言天下事甚眾，非天下所以存亡，故不著：張良與劉邦從容議論的天下事還有很多，只是因為沒有事關天下的興亡，而沒有紀錄入史冊。

159. 赤松子：傳說中的仙人，為黃帝神農氏的雨師。

160. 德留侯：感念張良的恩德。

161. 白駒過隙：快馬跑過一道縫隙，比喻時間過得飛快，出自《莊子》。

162. 子不疑代侯：張良的兒子張不疑繼承了他的侯位。

163. 葆祠之：珍視並祭祀這塊黃石。《史記》中"珍寶"的"寶"往往寫作"葆"。

164. 上塚伏臘：上墳（掃墓）和伏日、臘日的祭祀。

165. 坐不敬：犯不敬之罪。

166. 國除：封地被取消。

張良

太史公曰："學者多言無鬼神，然言有物[167]。至如留侯所見老父予[168]書，亦可怪矣。高祖離困者數矣，而留侯常有功力焉，豈可謂非天乎？上曰："夫運籌筴帷帳之中，決勝千里外，吾不如子房。"余以為其人計[169]魁梧奇偉，至見其圖[170]，狀貌如婦人好女。蓋孔子曰："以貌取人，失之子羽[171]。"留侯亦云。

## 注釋

167. 有物：有仙怪。
168. 予：給予，贈予。
169. 計：大概，應該是。
170. 其圖：張良的畫像。
171. 子羽：孔子的弟子，有賢德，而相貌醜陋。這句意思是如果以貌取人的話，就會錯過子羽這樣的賢人。

## 串講

此文為張良傳記，筆墨側重於描述張良的處事能力與超群才幹。文章以張良一生中幾件精彩的謀劃為主幹，通過紀錄張良面對各類問題時的判斷和選擇，展現了其謀士風骨和神采。

傳記照例從張良家世開始，其祖父、父親均曾任韓國國相，先後輔佐過五位韓王。正因此，韓國被秦國所滅之後，張良傾盡家產，尋求勇士謀刺秦王，為韓國報仇。張良曾在淮陽學習禮法，到東方拜見了倉海君——大概是當時一位傳奇隱士。後來，張良與一位大力士在博浪沙行刺秦始皇未果，導致秦始皇在全國範圍內大肆搜捕刺客，而張良則隱姓埋名，躲於下邳，並結識黃石公，獲贈《太公兵法》。這時的張良還是個俠客，快意恩仇。

十年之後，陳涉在大澤鄉起兵，張良隨之糾集了一百餘人，準備去投奔景駒，半路在留縣遇到了劉邦，張良便歸附了劉邦。在劉邦奪取天下的過程中，張良的計謀在幾個關鍵時刻都起到了關鍵作用。首先是在劉邦西進的過程中，張良設計擊敗嶢關守軍，使劉邦軍隊能夠迅速奪取咸陽，佔得先機。接着勸諫劉邦撤出秦宮，在鴻門宴上幫助劉邦順利度過難關。隨後向劉邦推薦黥布、彭越、韓信，而歷史證明，在楚漢戰爭中，正是上述三人起到了決定戰局的作用。

西漢統一後，張良勸劉邦封雍齒為什方侯，穩定了群臣之心。在絕大多數大臣主張定都洛陽的時候，張良力主劉敬的建議，勸劉邦定都戰略意義突出的關中，為西漢早期的穩定建立了地理基礎。入關之後，因為身體原因，張良沒有參與政治，而是"即道引不食穀"。但在保全太子一事上，又是淡出政治的張良幫助了呂后。劉邦對張良的評價"運籌筴帷帳中，決勝千里外"，可謂一語中的。

同時，張良還極具自知之明，善於明哲保身，不貪戀金錢與權力。漢高祖六年（前201），漢高祖劉邦封賞功臣，劉邦讓張良在當時全國最富饒的齊地自己挑選三萬戶作為封邑，而張良則挑選了留縣，稱"臣願封留足矣，不敢當三萬戶"。晚年張良自覺淡出政壇，自稱"今以三寸舌為帝者師，封萬戶，位列侯，此布衣之極，於良足矣。願棄人間事，欲從赤松子遊耳。"

傳記的末尾，太史公補充完整了張良的那段圯上的傳奇：在與老人別後十三年，其隨漢高祖劉邦經過濟北，果然見到谷城山下的黃石，便將它取回，奉若至寶地祭祀它。"留侯死，並葬黃石。每上塚伏臘，祠黃石"。

## 評析

　　張良是溫雅之人，《留侯世家》則是溫雅之文。本篇文章氣息舒緩，敘事含而不露，吐納自然，與張良的人格氣質吻合得非常好。在緩緩讀畢此篇之後，讀者大約也從赤松子雅遊一回了。

　　先看文章的選料。張良是漢初第一謀臣，也是謀臣中的第一高人，他有人品，有氣魄，有才識，有謀略，後代大概也就只有諸葛亮能與之相提並論了。這樣一個人，參與當時重大事件的謀劃必定不少，時代又是漢初，司馬遷作傳的資料應該會很多，一樣一樣都記錄下來，恐怕會龐雜不堪。太史公在這篇傳記中，選擇詳細敘述的主要是圯上奇遇、八難劉邦、封雍齒、護太子等，真正屬於具體戰爭中出謀劃策的材料很少。對張良跟隨劉邦奪取天下的記載，司馬遷的筆墨是很精煉的，往往是一語帶過，如"張良多病，未嘗特將也，常為畫策臣，時時從漢王"，或是"漢四年，韓信破齊而欲自立為齊王，漢王怒。張良說漢王，漢王使良授齊王信印，語在《淮陰》事中"，利用其篇章來補充。司馬遷對文章材料的選擇，是在最大可能地避開戰爭材料，一是張良參與的很多大事在其他傳記中都已涉及，在此不必詳述；二是過多的戰事材料大概會使張良身上的那種儒雅氣息消失吧。

　　再看本篇的筆法經營。《留侯世家》最為精妙的是虛處傳神。讀者讀過此篇，印象最為深刻的應該是首尾兩個故事，即圯上奇遇和商山四皓。這兩個故事都具有方外傳奇的色彩，而這種傳奇色彩與張良的“運籌策帷帳中，決勝千里外”的謀士身份關係並不大，但這兩個故事的存在又使張良的傳記具有了別樣的情致，神秘而縹緲。司馬遷的筆墨在點化故事逸情高致的地方也別具趣味，如“良嘗閒從容步遊下邳圯上，有一老父，衣褐，至良所，直墮其履圯下”，“四人從太子，年皆八十有餘，鬚眉皓白，衣冠甚偉”，用語輕潔，筆調從容自若，一種高逸的氣息自然流露。除此之外，倉海君、力士、赤松子等等具有傳奇色彩人物的出現，也給本篇傳記增添了不少神秘色彩，而這些傳奇與神秘影像的出現，總體上使本篇避開了亂世的殘酷和戰時的血腥，從氣質上與張良很好地貼近了起來。

　　文末，太史公曰“余以為其人計魁梧奇偉，至見其圖，狀貌如婦人好女”，既補充了張良的相貌，又使本篇顯得更加沖淡閒遠，餘味無窮。

孫子吳起列傳

孫子武者，齊人也。以兵法見於吳王闔廬。闔廬曰：“子之十三篇[1]，吾盡觀之矣[2]，可以小試勒兵[3]乎？”對曰：“可。”闔廬曰：“可試以婦人乎？”曰：“可。”於是許之。出宮中美女，得百八十人。孫子分為二隊，以王之寵姬[4]二人各為隊長，皆令持

孫武

戟[5]。令人曰：“汝知而[6]心與左右手、背乎？”婦人曰：“知之。”孫子曰：“前，則視心；左，視左手；右，視右手；後，即視背。”婦人曰：“諾。”約束既佈[7]，乃設鈇鉞[8]，即三令五申之[9]。於是鼓之右[10]，婦人大笑。孫子曰：“約束不明，申令不熟，將之罪也。”復三令五申而鼓之左，婦人復大笑。孫子曰：“約束不明，申令不熟，將之罪也；既已明而不如法[11]者，吏士[12]之罪也。”乃欲斬左右隊長。吳王從台上觀，見且[13]斬愛姬，大駭。趣使使下令[14]曰：“寡人已知將軍能用兵矣。寡人非此二姬，食不甘味[15]，願勿斬也。”孫子曰：“臣既已受命為將，將在軍，君命有所不受[16]。”遂斬隊長二人以徇[17]。用其次為隊長，於是復鼓之。婦人左右前後跪起皆中規矩繩墨[18]，無敢出聲。於是孫子使使報王曰：“兵既整齊，

王可試下觀之，惟王所欲用之[19]，雖赴水火猶可也。"吳王曰："將軍罷休就舍[20]，寡人不願下觀。"孫子曰："王徒[21]好其言，不能用其實。"於是闔廬知孫子能用兵，卒以為將。西破強楚，入郢[22]，北威齊晉，顯名諸侯，孫子與有力焉。

孫武既死，後百餘歲有孫臏[23]。臏生阿鄄[24]之間，臏亦孫武之後世子孫也。孫臏嘗與龐涓俱學兵法。龐涓既[25]事魏，得為惠王將軍，而自以為能[26]不及孫臏，乃陰[27]使召孫臏。臏至，龐涓恐其賢於己，疾之[28]，則以法刑斷其兩足而黥之[29]，欲隱勿見[30]。

齊使者如[31]梁，孫臏以刑徒陰見[32]，說齊使。齊使以為奇，竊載與之齊。齊將田忌善而客待之。忌數與齊諸公子馳逐重射[33]。孫子見其馬足[34]不甚相遠，馬有上、中、下輩[35]。於是孫子謂田忌曰："君弟重射[36]，臣能令君勝。"田忌信然之，與王及諸公子逐射千金。及臨質[37]，孫子曰："今以君之下駟與彼上駟，取君上駟與彼中駟，取君中駟與彼下駟。"既馳三輩畢，而田忌一不勝而再勝[38]，卒得王千金。於是忌進孫子於威王。威王問兵法，遂以為師。

其後魏伐趙，趙急，請救於齊。齊威王欲將孫臏[39]，臏辭謝曰："刑餘之人[40]不可。"於是乃以田忌為將軍，而孫子為師，居輜車[41]中，坐為計謀。田忌欲引兵之趙，孫子曰："夫解雜亂紛糾者不控捲[42]，救鬥者不搏撠[43]，批亢搗虛[44]，形格勢禁[45]，則自為解耳[46]。今梁趙相攻，輕兵銳卒[47]必竭於外，老弱罷[48]於內。君不若引兵疾走大梁[49]，據其街路[50]，衝其方虛[51]，彼必釋趙而自救。是我一舉解趙之圍而收弊於魏[52]也。"田忌從之。魏果去邯鄲[53]，與齊戰於桂陵[54]，大破梁軍。

後十三歲，魏與趙攻韓，韓告急於齊。齊使田忌將而往，直走大梁[55]。魏將龐涓聞之，去韓而歸，齊軍既已過而西[56]矣。孫臏謂田忌曰："彼三晉之兵[57]，素悍勇而輕齊[58]，齊號為怯，善戰者因其勢而利導之[59]。兵法，百里而趣利者蹶上將，五十里而趣利者軍半至[60]。使齊軍入魏地為十萬灶，明日為五萬灶，又明日為三萬灶[61]。"龐涓行三日，大喜，曰："我固知齊軍怯，入吾地三日，士卒亡[62]者過半矣。"乃棄其步軍，與其輕銳倍日並行[63]逐之。孫臏度其行[64]，暮當至馬陵[65]。馬陵道狹，而旁多阻隘，可伏兵，乃斫大樹白而書之曰[66]："龐涓死於此樹之下。"於是令齊軍善射者萬弩[67]，夾道而伏，期[68]曰"暮見火舉而俱發"。龐涓果夜至斫木下，見白書，乃鑽火燭之[69]。讀其書未畢，齊軍萬弩俱發，魏軍大亂相失[70]。龐涓自知智窮兵敗，乃自剄，曰："遂成豎子之名！"齊因乘勝盡破其軍，虜魏太子申以歸。孫臏以此名顯天下，世傳其兵法。

# 注釋

1. 十三篇：指孫武的《孫子兵法》，也叫《孫子》。今本《孫子》以曹操作注的最出名。今本十三篇是《始計》、《作戰》、《謀攻》、《軍形》、《兵勢》、《虛實》、《軍爭》、《九變》、《行軍》、《地形》、《九地》、《火攻》、《用間》。

2. 盡觀之矣：全部看完了。

3. 小試勒兵：小試，小規模地做試驗，操演陣勢。勒兵，用兵法統率指揮軍隊。勒，約束，統率。

4. 寵姬：寵愛的妃子。

5. 戟：古代最常用的兵器之一，青銅製。

6. 而：汝，你的，你們的。

7. 約束既佈：軍隊紀律已經宣佈完成。

8. 設鈇鉞：設置刑具，表明正式開始執法。鈇，砍刀；鉞，大斧。鈇鉞是軍中的刑具。

9. 三令五申之：把前面已經宣佈過的紀律重複幾遍，交待清楚。三、五是虛數，表示反復再三之意。

10. 鼓之右：擊鼓傳令隊列向右走。

11. 不如法：不依照軍令去做。

12. 吏士：指兩個隊長。

13. 且：將要。

14. 趣使使下令：急忙派部下傳下命令。

15. 甘味：嚐到味道的美好。．

16. 將在軍，君命有所不受：將帥統領軍隊，應據實際情況指揮，君王的指令可以不接受。

17. 徇：示眾。

18. 中規矩繩墨：符合各種要求。中，符合；規矩，木匠校正圓形和方形的工具，規為圓，矩為方；繩墨，木工用以找直用的墨線。這裏均藉指軍令、紀律。

19. 惟王所欲用之：大王想怎麼使用都可以。

20. 罷休就舍：回到住處休息。

21. 徒：僅僅，只是。

22. 入郢：攻入楚國的首都郢。時在公元前506年，伍子胥領吳軍入楚。

23. 孫臏：他的真名歷史已經失去記載，只因為他受了臏刑（砍去雙腳）而稱他為孫臏。

24. 阿鄄：阿，即東阿，今山東省陽谷縣阿城鎮；鄄，今山東省鄄城縣。

25. 既：已經。

26. 能：才能。

27. 陰：暗中，秘密地。

28. 疾之：嫉妒他。

29. 以法刑斷其兩足而黥之：藉罪名砍去了孫臏的雙足，並在他的臉上刺上黑字。黥，墨刑，在臉上刺上墨字。

30. 欲隱勿見：想將孫臏藏起來不讓他見人。

31. 如：往，到……去。

32. 以刑徒陰見：以犯人的身份暗地裏拜見。

33. 數與齊諸公子馳逐重射：屢次與齊國的貴族子弟賽馬，並下很重的賭注。諸公子，貴族子弟；馳逐，指賽馬；重射，押重金賭輸贏。

34. 馬足：馬的腳力，速度。

35. 上、中、下輩：上、中、下三等。

36. 君弟重射：你盡可下重注。弟，但，只管，又寫作“第”。

37. 臨質：臨場比賽。

38. 再勝：兩次獲勝。

39. 欲將孫臏：打算讓孫臏為將。

40. 刑餘之人：受過刑戮的人。

41. 輜車：有車篷和帷帳的大車。

42. 解雜亂紛糾者不控捲：解開一團亂絲不能攥緊了拳頭使勁。控，抓緊；捲，拳頭。

43. 救鬥者不搏撠：化解鬥毆不能插手其中，參與幫打。撠，以手撠刺人。

44. 批亢搗虛：避實就虛。批，撇開；亢，充滿。

45. 形格勢禁：(對方)形勢發生了不利的變化，在進攻上必然有所顧忌。格，扞格；禁，顧忌。

46. 自為解耳：危急的形勢自己就解除了。

47. 輕兵銳卒：精銳的軍隊。

48. 罷：同"疲"，疲乏。

49. 疾走大梁：迅速襲擊大魏都大梁。

50. 據其街路：佔據其交通要道。

51. 方虛：正當空虛處。

52. 收弊於魏：坐收魏軍愴惶之弊。

53. 去邯鄲：解去邯鄲之圍，離開邯鄲。

54. 桂陵：在今山東省菏澤市東北。

55. 大梁：魏國首都，今河南開封市。

56. 既已過而西：已經越過齊國國界，西向進入魏境了。

57. 三晉之兵：這裏指魏國的士兵。春秋末年，三家分晉，成為戰國時的韓、趙、魏三國，史稱三晉。

58. 輕齊：輕視齊國軍隊。

59. 因其勢而利導之：利用敵人的輕敵思想引誘其中圈套，這裏指順應魏兵認為齊兵膽怯的思想，讓齊兵偽裝膽怯逃跑，誘導魏軍深入。

60. 百里而趣利者蹶上將，五十里而趣利者軍半至：以日夜行百里的速度急行軍追趕敵人，就會和後續部隊脫節，可能會犧牲上將軍；以五十里速度的急行軍追趕敵人，因為前後不能接應，部隊只有一半能夠趕到。這句話出自《孫子·軍爭篇》，但稍稍改變了一下原文。

61. 使齊軍入魏地為十萬灶，明日為五萬灶，又明日為三萬灶：減灶則意味着軍隊人數的減少，順應了魏軍認為齊軍膽怯的心理，造成齊軍大量逃亡的假象。

62. 亡：逃跑。

63. 與其輕銳倍日並行：輕銳，輕兵銳卒，指騎兵；倍日並行，兩天的路程一天走完。

64. 度其行：估計龐涓騎兵的行程。

65. 馬陵：今河北省大名縣東南。

66. 斫大樹白而書之曰：削去大樹的一塊樹皮，在露出的白木上寫道。

67. 萬弩：形容弓箭手之多，並不一定是實指。

68. 期：約定。

69. 鑽火燭之：取火照亮樹幹上的字。鑽，古時鑽木取火的方法；燭，照，照亮。

70. 相失：潰散中彼此失去照應。


　　吳起者，衛人也，好用兵。嘗學於曾子[71]，事魯君。齊人攻魯，魯欲將吳起，吳起取齊女為妻，而魯疑之。吳起於是欲就名[72]，遂殺其妻，以明不與齊[73]也。魯卒以為將。將而攻齊，大破之。

吳起

　　魯人或惡吳起[74]曰："起之為人，猜忍人也[75]。

其少時，家累千金，遊仕不遂[76]。遂破其家。鄉黨[77]笑之，吳起殺其謗己者[78]三十餘人，而東出衛郭門[79]。與其母訣[80]，齧臂而盟[81]曰：'起不為卿相，不復入衛。'遂事曾子。居頃之，其母死，起終不歸。曾子薄[82]之，而與起絕[83]。起乃之魯，學兵法以事魯君。魯君疑之，起殺妻以求將。夫魯小國，而有戰勝之名，則諸侯圖魯[84]矣。且魯衛兄弟之國[85]也，而君用起，則是棄衛。"魯君疑之，謝[86]吳起。

吳起於是聞魏文侯賢，欲事之。文侯問李克[87]曰："吳起何如人哉？"李克曰："起貪而好色，然用兵司馬穰苴[88]不能過也。"於是魏文侯以為將，擊秦，拔[89]五城。

起之為將，與士卒最下者同衣食。臥不設席，行不騎乘[90]，親裹贏糧[91]，與士卒分勞苦。卒有病疽[92]者，起為吮[93]之。卒母聞而哭之。人曰："子卒也，而將軍自吮其疽，何哭為？"母曰："非然也[94]。往年吳公吮其父，其父戰不旋踵[95]，遂死於敵。吳公今又吮其子，妾不知其死所[96]矣。是以哭之。"

文侯以吳起善用兵，廉平[97]，盡能得士心，乃以為西河守[98]，以拒秦、韓。

魏文侯既卒，起事其子武侯。武侯浮西河而下[99]，中流[100]，顧而謂吳起曰："美哉乎山河之固，此魏國之寶也！"起對曰："在德不在險。昔三苗氏[101]左洞庭，右彭蠡[102]，德義不修，禹滅之。夏桀之居，左河濟[103]，右泰華[104]，伊闕[105]在其南，羊腸[106]在其北，修政不仁，湯放[107]之。殷紂之國，左孟門[108]，右太行[109]，常山[110]在其北，大河經其南，修政不德，武王殺之。由此觀之，在德不在險。若君不修德，舟中之人盡為敵國也。”武侯曰：“善。”

吳起為西河守，甚有聲名。魏置相，相田文[111]。吳起不悅，謂田文曰：“請與子論功，可乎？”田文曰：“可。”起曰：“將三軍，使士卒樂死，敵國不敢謀，子孰與起[112]？”文曰：“不如子。”起曰：“治百官，親萬民，實府庫，子孰與起？”文曰：“不如子。”起曰：“守西河而秦兵不敢東鄉[113]，韓趙賓從[114]，子孰與起？”文曰：“不如子。”起曰：“此三者，子皆出吾下，而位加吾上，何也？”文曰：“主少國疑[115]，大臣未附，百姓不信，方是之時，屬之於子乎？屬之於我乎？”起默然良久，曰：“屬之子矣。”文曰：“此乃吾所以居子之上也。”吳起乃自知弗如田文。

田文既死，公叔為相，尚[116]魏公主，而害[117]吳起。公叔之僕曰：“起易去也。”公叔曰：“奈何？”其僕曰：“吳起為人節廉而自喜名[118]也。君因先與武侯言曰：‘夫吳起賢人也，而侯之國小，又與強秦壤界[119]，臣竊恐起之無留心也。’武侯即曰：‘奈何？’君因謂武侯曰：‘試延以公主[120]，起有留心則必受之，無留心則必辭矣。以此卜[121]之。’君因召吳起而與歸，即令公主怒而輕君[122]。

吳起見公主之賤君也，則必辭[123]。”於是吳起見公主之賤魏相，果辭魏武侯。武侯疑之而弗信也。吳起懼得罪，遂去，即之楚。

楚悼王素聞吳起賢，至則相楚。明法審令[124]，捐不急之官[125]，廢公族疏遠者[126]，以撫養戰鬥之士。要[127]在強兵，破馳說之言縱橫者[128]。於是南平百越[129]；北併陳蔡[130]，卻三晉；西伐秦。諸侯患楚之強。故楚之貴戚[131]盡欲害吳起。及悼王死，宗室大臣作亂而攻吳起，吳起走之王屍而伏之[132]。擊起之徒因射刺吳起，並中悼王[133]。悼王既葬，太子立，乃使令尹盡誅射吳起而並中王屍者。坐射起而夷宗[134]者七十餘家。

## 注釋

71. 嘗學於曾子：曾子，名參，魯國人，孔子的著名弟子之一；嘗，曾經。

72. 就名：成就名聲。

73. 不與齊：不親附齊國。

74. 或惡吳起：或，有人；惡，詆毀。

75. 猜忍人也：城府極深又生性殘忍的人。

76. 遊仕不遂：外出從政而未能如願。

77. 鄉黨：同鄉的鄰里親戚。

78. 謗己者：嘲笑自己的人。

79. 郭門：外城城門。古代的城，城牆外還有一層圍牆，稱為郭。

80. 訣：話別。

81. 齧臂而盟：咬胳膊發誓。

82. 薄：輕視。

83. 絕：斷絕關係。

84. 圖魯：算計魯國，打魯國的主意。

85. 魯衛兄弟之國：魯衛兩國都是周代姬姓封國，所以叫兄弟之國。

86. 謝：辭謝，客氣地謝絕。

87. 李克：即李悝，魏國的賢臣。

88. 司馬穰苴：春秋時齊國人，本姓田，精通兵法。《史記》有《司馬穰苴列傳》。

89. 拔：攻克，奪取。

90. 騎乘：騎馬或坐車。

91. 親裹贏糧：自己帶着口糧，意為減輕士卒的揹負之苦。

92. 病疽：生毒瘡。

93. 吮：用口吸。

94. 非然也：不是這麼說啊。意思是說雖然自己的兒子是個小兵，但大將軍給他吸毒瘡，卻並不是一件好事。

95. 戰不旋踵：戰鬥時奮勇向前，沒有絲毫退卻之意。旋踵，旋轉腳後跟，即後退之意。

96. 不知其死所：不知道他會死在哪裏。

97. 廉平：自身廉潔，待人公平。

98. 為西河守：鎮守西河一帶。西河，黃河在陝西、山西兩省交界處為南北流向，當時稱為西河，其南半段在魏國境內，吳起鎮守的西河應該是在今陝西省東南部這個範圍內。

99. 浮西河而下：乘船自黃河順流南下。

100. 中流：水流的中央。

101. 三苗氏：舜時南方的部落。

102. 彭蠡：今鄱陽湖。

103. 河濟：黃河和濟水，吳起所指區域在今山東省濟南市的範圍內。

104. 泰華：泰華山，今華山。

105. 伊闕：山名，在今天河南省洛陽市西南。

106. 羊腸：阪名，在今山西省太原市西北方向。

107. 放：放逐。

108. 孟門：山名，位於陝西省宜川縣境內龍門瀑布與壺口瀑布之間。

109. 太行：山名，在今河南省沁縣北。

110. 常山：今恒山。

111. 相田文：以田文為魏國相。

112. 子孰與起：您跟我比，誰更好。

113. 不敢東鄉：不敢向東來侵犯。鄉，同“向”。

114. 賓從：服從，歸附。實為結成同盟。

115. 主少國疑：君主年少，國人對此也多不放心。

116. 尚：娶。古代臣娶君之女叫尚。

117. 害：畏忌。

118. 節廉而自喜名：有骨氣而又好面子。

119. 壤界：國土相連。

120. 試延以公主：以將魏國的一位公主下嫁給吳起的辦法來試試。

121. 卜：判斷，推斷。

122. 君因召吳起而與歸，即令公主怒而輕君：你借機請吳起一塊回家，然後故意激怒公主，使公主當眾斥責你。

123. 吳起見公主之賤君也，則必辭：吳起見到公主當眾呵斥你，則必然會推辭不娶另一位公主。

124. 審令：令出必行。

125. 捐不急之官：淘汰裁減無關緊要的冗員。捐，棄置。

126. 廢公族疏遠者：取消了血緣關係上已經疏遠的貴族的國家供養。

127. 要：致力於。

128. 破馳說之言縱橫者：摒棄四處遊說空言縱橫的行為。

129. 百越：種族名，為春秋越國的遺族。楚滅越，越民徙居五嶺一帶，又徙至福建、廣東各地，隨地立君，號稱百越。

130.陳蔡：陳國和蔡國，西周時的封國，陳大約在今河南省的東部，蔡大約在河南省的中部。

131.故楚之貴戚：指以往被吳起停止供給的疏遠貴族。害，加害。

132.走之王屍而伏之：逃往停放悼王屍體的地方躲藏起來。

133.並中悼王：悼王的屍體也一同被射中。

134.坐射起而夷宗：坐，因犯……罪；夷宗，滅族。


太史公曰：世俗所稱師旅[135]，皆道《孫子》十三篇，吳起《兵法》，世多有，故弗論，論其行事所施設者[136]。語曰：“能行之者未必能言，能言之者未必能行。”孫子籌策龐涓明矣，然不能蚤救患於被刑[137]。吳起說武侯以形勢不如德，然行之於楚，以刻暴少恩亡其軀。悲夫！

## 注釋

135.師旅：軍隊之事。

136.行事所施設者：行事所具體涉及到的。

137.然不能蚤救患於被刑：卻不能提前自免於砍斷兩足的苦刑。蚤，同“早”。

## 串講

此篇是中國古代三位著名軍事家的合傳。

傳記首先從孫武開始，可能是資料極少的原因，司馬遷只記載了孫武初到吳國時的一個故事“吳宮教戰”，這也是吳王對其的一次考試。吳王臨時召集了一部分宮中美女，交由孫武指揮。孫武對基本的口令三令五申，隊列仍參差不齊，於是孫武以不守軍令為由殺了吳王兩個愛妾。再擊鼓發令，婦人們不論向左向右、向前向後、跪倒、站起都符合紀律的要求，再無人妄笑。吳王見識到了孫武的厲害，任其為將軍。傳末強調吳王敗強楚，克郢都，威鎮齊晉，名顯諸侯，"孫子與有力焉"。

傳記的第二位軍事家是孫臏。孫臏是孫武的後代子孫，與龐涓一起學習兵法。後被龐涓所害。傳記主要記述了孫臏參與的三個故事：田忌賽馬、圍魏救趙、馬陵之戰。田忌賽馬只是牛刀小試，其將兵法韜略運用到賽馬賭博之中，由此顯現孫臏智謀的過人之處。圍魏救趙才是其軍事才能的經典案例，也是中國古代最著名的軍事案例之一。孫臏推知魏國攻趙，國內必定空虛，建議田忌率軍火速挺進大梁，佔據要道，衝其方虛。果然迫使魏軍回師自救，既解了趙國之圍，又坐收魏國自行挫敗之利。而馬陵道一戰，則是充分利用對方的心理，"因其勢而利導之"，通過減灶，吸引龐涓孤軍深入，終於迫使龐涓自刎於馬陵道上。

對於傳記的第三位軍事家，司馬遷記述得更為詳細，隱現吳起的某些性格特徵：將嘲笑他的三十幾人全部殺死，未成就功名而母喪不歸，殺死自己的妻子來消除魯國的懷疑。魯人稱他為"猜忍人"也是有一定道理的。但同時他也是一位傑出的軍事家，司馬遷記載的是他的身先士卒的行為：跟最下等的士兵穿一樣的衣服，吃一樣的伙食，睡覺不鋪墊褥，行軍不乘車騎馬，親自揹負着捆紮好的糧食和士兵們同甘共苦。有個士兵生了惡性毒瘡，吳起替他吸吮膿液。試想有這樣的主將，哪個士兵不會奮勇爭先呢！除此之外，傳記還記載了吳起作為政治家的一面，當魏武侯乘船順西河而下之時，他趁機勸諫魏武侯，政權的穩固，在乎德政而不在乎山川形勢的險要。後來，吳起被迫出走楚國，因其改革得罪了很多楚國貴族，最後在叛亂中被殺。

## 評析

《孫子吳起列傳》章法富於變化，雖然是三位軍事家的合傳，卻各個的筆法不同，有虛有實，如繪長卷，各部分對象不同，但經營位置的變化又使整卷作品氣韻生動，渾然天成。我們很難說出哪一部分更好或更出色，因為作為作品的每一個故事單元，各個部分只有在相互照應當中才使整部作品煥然生色，這大概就是《孫子吳起列傳》的精彩之處。

孫子"吳宮教戰"故事實際上屬於軼事級別，對於孫武這樣一位著名的軍事家，司馬遷僅僅選擇這樣一則故事，讓人不得不懷疑他是不是掌握的材料太少了。但這並不妨礙司馬遷筆法營造的精妙，畢竟"吳宮教戰"是一個有意思的故事。司馬遷把這個故事處理得極為峻潔，只有少量的紀錄性文字，剩下的多是簡潔的對話。但從這些簡潔的對話中，我們卻獲取了更多的情境信息，能夠很清楚地想像出當時的各種細微場景。實際上這個故事的表達，更多的是通過言外之意、畫外之象。也正是從故事的另一層言外之意上，我們領教了孫武用兵的嚴厲之處，對一位出色軍事家的才能已經有所瞭解了。接下來，"西破強楚，入郢，北威齊晉，顯名諸侯，孫子與有力焉"一句，雖是虛寫，卻將"吳宮教戰"的畫外之音表達透了，所以孫武的故事到此為止。從孫武故事的第三層言外之意上講，他是整篇傳記的前奏，兵家的傳記開篇故事並不是實際的兵法戰例，只是一則軼事，接下來的兩位軍事家的傳記，則開始真正言兵和言政了。

孫臏的傳記是真正的言兵之傳，無論是賭博遊戲的田忌賽馬，還是圍魏救趙和馬陵之戰，司馬遷都十分精到地將孫臏對兵法的運用呈現出來。這一段中，“兵法”二字是文章的眼目所在，此段以兵法起，以兵法結，文字處處涉及兵法，並以兵法為起端，構造了一個基本的衝突情節，即孫臏和龐涓之間的恩怨。孫臏故事的開始二人結怨，中間除了田忌賽馬外，主要的戰事都是在孫龐二人的指揮下完成，最終龐涓自刎馬陵道上，恩怨了結，故事結束。從整個故事的佈局上來看，孫臏故事就像一幕完整的戲劇，情節衝突貫穿始終，敘述乾淨利落，形象塑造恰到好處。

孫臏部分，司馬遷的行文雖然也十分省淨，但已經比孫武部分有了不小的鬆動，到了吳起部分，司馬遷的筆調變得舒緩了許多，與前兩部分相比，這一部分有一種從容佈置的感覺。文章也由對兵法的敘述轉到對吳起為人和其政治生涯的紀錄。從總體上看，三個人的傳記側重點各不相同，但將這些側重點統一起來，卻是一個豐滿的傳記。文章的筆調由峻潔到舒緩，開合有度，保持了傳記的整體觀感。

# 魏公子列傳

魏公子無忌者，魏昭王少子而魏安釐王異母弟也[1]。昭王薨[2]，安釐王即位，封公子為信陵君。是時范雎亡魏相秦[3]，以怨魏齊故[4]，秦兵圍大梁[5]，破魏華陽[6]下軍，走芒卯[7]。魏王及公子患之。

公子為人仁而下士[8]，士無賢不肖[9]皆謙而禮交之，不敢以其富貴驕士。士以此方數千里爭往歸之[10]，致食客三千人。當是時，諸侯以公子賢，多客，不敢加兵謀魏十餘年。

公子與魏王博[11]，而北境傳舉烽[12]，言"趙寇至，且入界[13]"。魏王釋博，欲召大臣謀。公子止王曰："趙王田獵[14]耳，非為寇也。"復博如故。王恐，心不在博。居頃，復從北方來傳言曰："趙王獵耳，非為寇也。"魏王大驚，曰："公子何以知之？"公子曰："臣之客有能深得趙王陰事[15]者，趙王所為，客輒以報臣[16]，臣以此知

春秋戰國時期的車馬形象

之。”是後魏王畏公子之賢能，不敢任公子以國政。

魏有隱士曰侯嬴，年七十，家貧，為大梁夷門監者[17]。公子聞之，往請[18]，欲厚遺之[19]。不肯受，曰：“臣脩身絜行[20]數十年，終不以監門困故而受公子財[21]。”公子於是乃置酒大會賓客。坐定，公子從車騎[22]，虛左[23]，自迎夷門侯生。侯生攝敝衣冠[24]，直上載公子上坐[25]，不讓，欲以觀公子。公子執轡愈恭[26]。侯生又謂公子曰：“臣有客在市屠中[27]，願枉車騎過之[28]。”公子引車入市，侯生下見其客朱亥，俾倪故久立[29]，與其客語，微察公子[30]。公子顏色愈和。當是時，魏將相宗室賓客滿堂，待公子舉酒[31]。市人皆觀公子執轡。從騎皆竊罵[32]侯生。侯生視公子色終不變，乃謝客就車[33]。至家，公子引侯生坐上坐，遍讚賓客[34]，賓客皆驚。酒酣，公子起，為壽[35]侯生前。侯生因[36]謂公子曰：“今日嬴之為公子亦足矣[37]。嬴乃夷門抱關[38]者也，而公子親枉車騎，自迎嬴於眾人廣坐之中，不宜有所過[39]，今公子故過之[40]。然嬴欲就公子之名，故久立公子車騎市中，過客以觀公子[41]，公子愈恭。市人皆以嬴為小人，而以公子為長者能下士也。”於是罷酒，侯生遂為上客。

侯生謂公子曰：“臣所過屠者朱亥，此子賢者，世莫能知，故隱屠間耳。”公子往數請之[42]，朱亥故不復謝[43]，公子怪之。

魏安釐王二十年[44]，秦昭王已破趙長平軍[45]，又進兵圍邯鄲。公子姊為趙惠文王弟平原君夫人，數遺魏王及公子書[46]，請救於魏。魏王使將軍晉鄙將十萬眾救趙。秦王使使者告魏王曰：“吾攻趙旦暮且下，而諸侯敢救者，已拔趙，必移兵先擊之。”魏王恐，使人止晉鄙，留軍壁鄴[47]，名為救趙，實持兩端以觀望。平原君使者冠蓋相屬[48]於魏，讓[49]魏公子曰：“勝所以自附[50]為婚姻者，以公子之高義[51]，為能急人之困[52]。今邯鄲旦暮降秦而魏救不至，安在公子能急人之困也！且公子縱輕勝[53]，棄之降秦，獨不憐公子姊邪？”公子患之，數請魏王，及賓客辯士說王萬端[54]。魏王畏秦，終不聽公子。公子自度終不能得之於王[55]，計不獨生而令趙亡[56]，乃請賓客，約[57]車騎百餘乘，欲以客往赴秦軍，與趙俱死。

行過夷門，見侯生，具告所以欲死秦軍狀。辭決[58]而行，侯生曰：“公子勉之矣，老臣不能從。”公子行數里，心不快，曰：“吾所以待侯生者備[59]矣，天下莫不聞，今吾且死而侯生曾[60]無一言半辭送我，我豈有所失[61]哉？”復引車還，問侯生。侯生笑曰：“臣固知[62]公子之還也。”曰：“公子喜士，名聞天下。今有難，無他端[63]而欲赴秦軍，譬若以肉投餒虎[64]，何功之有哉？尚安事客[65]？然公子遇臣厚，公子往而臣不送，以是知公子恨[66]之復返也。”公子再拜，因問。侯生乃屏人間語[67]，曰：“嬴聞晉鄙之兵符常在王臥內[68]，而如姬最幸[69]，出入王臥內，力[70]能竊之。嬴聞如姬父為人所殺，如姬資之三年[71]，自王以下欲求報其父仇，莫能得。如姬為公子泣[72]，公子使客斬其仇頭，敬進如姬。如姬之欲為公子死，無所辭[73]，顧未有路耳[74]。公子誠[75]一開口請如姬，如姬必許諾，則得虎符奪晉鄙軍[76]，北救趙而西卻秦[77]，此五霸之伐[78]也。"公子從其計，請如姬。如姬果盜晉鄙兵符與公子。

公子行，侯生曰："將在外，主令有所不受[79]，以便國家[80]。公子即合符[81]，而

秦·銅虎符

晉鄙不授公子兵而復請之[82]，事必危矣。臣客屠者朱亥可與俱，此人力士。晉鄙聽，大善；不聽，可使擊之。"於是公子泣。侯生曰："公子畏死邪？何泣也？"公子曰："晉鄙嚄唶宿將[83]，往恐不聽，必當殺之，是以泣耳，豈畏死哉？"於是公子請朱亥。朱亥笑曰："臣迺市井鼓刀屠者[84]，而公子親數存之[85]，所以不報謝者，以為小禮無所用。今公子有急[86]，此乃臣效命之秋[87]也。"遂與公子俱。公子過謝侯生[88]。侯生曰："臣宜從，老不能。請數公子行日[89]，以至晉鄙軍之日，北鄉自剄[90]，以送公子[91]。"公子遂行。

至鄴，矯魏王令代晉鄙[92]。晉鄙合符，疑之，舉手視公子曰："今吾擁十萬之眾，屯於境上，國之重任，今單車來代之[93]，何如哉[94]？"欲無聽。朱亥袖[95]四十斤鐵椎，椎殺晉鄙，公子遂將晉鄙軍。勒兵[96]，下令軍中曰："父

子俱在軍中，父歸；兄弟俱在軍中，兄歸；獨子無兄弟，歸養[97]。"得選兵[98]八萬人，進兵擊秦軍。秦軍解去[99]，遂救邯鄲，存趙。趙王及平原君自迎公子於界，平原君負韊矢為公子先引[100]。趙王再拜曰："自古賢人未有及公子者也。"當此之時，平原君不敢自比於人[101]。公子與侯生決，至軍，侯生果北鄉自剄。

## 注釋

1. 魏昭王少子而魏安釐王異母弟也：魏昭王，魏國的第五代國君，公元前 295 年—公元前 277 年在位，共計十九年；魏安釐王，魏國第六代國君，公元前 276 年—公元前 243 年在位，共計三十四年。

2. 薨：王侯的死稱為薨。

3. 范雎亡魏相秦：關於范雎的事蹟可以參看《史記·范雎蔡澤列傳》。

4. 以怨魏齊故：因為怨恨魏相魏齊的緣故。魏齊曾屈打范雎幾乎致死。

5. 大梁：魏國首都，今河南省開封市。

6. 華陽：在今河南省鄭州市東南，又稱華、華下。

7. 走芒卯：使芒卯敗走。芒卯為魏國將領。范雎相秦是在秦昭襄王四十二年（前 265），而秦擊敗芒卯軍圍攻大梁是在秦昭襄王三十二年（前 275），秦軍擊破魏國華陽駐軍是在公元前 273 年（秦昭襄王三十四年），當時的秦相是魏冉，中間相差十年之多，因此，說因范雎怨恨魏齊而秦軍走芒卯、破華陽的記載是有誤的。

8. 仁而下士：秉性仁厚，對待士人謙恭。

9. 無賢不肖：無論賢與不賢。

10. 方數千里爭往歸之：方圓數千里之內的士人爭相投奔信陵君。

11. 博：也稱六博，一種棋類遊戲，像今天的圍棋或五子棋。

12. 舉烽：發出戰事警報。古代戍守遇到緊急情況時，即在高架上升起薪火以示報警，稱為“舉烽”。

13. 且入界：即將進入魏國的北界。

14. 田獵：打獵。

15. 陰事：秘密的事情。

16. 輒以報臣：即刻通知我。

17. 夷門監者：夷門，大梁城的東門名；監者，看守城門的人。

18. 往請：派人前往問候。

19. 欲厚遺之：打算送厚禮給他。

20. 脩身絜行：修養身心，保持高潔的德行。

21. 終不以監門困故而受公子財：最後不能因為身處看守城門的窮困當中而接受公子饋贈的財物。

22. 公子從車騎：公子自己駕着馬車。

23. 虛左：空出左方的座位。古代乘車以左位為乘坐位，也就是尊位。

24. 攝敝衣冠：整理破爛的衣冠。

25. 直上載公子上坐：逕自坐到公子空出的上位。

26. 執轡愈恭：握着駕車的轡繩愈發顯得恭敬。

27. 有客在市屠中：有朋友是市場中的屠戶。

28. 枉車騎過之：委屈你載我過去拜訪他。

29. 俾倪故久立：斜着眼睛故意老站在那裏。

30. 微察：暗地裏考察。

31. 舉酒：舉酒開宴。

32. 竊罵：暗地裏罵。

33. 謝客就車：辭別朱亥，重新登上公子所駕之車。

34. 遍讚賓客：將賓客逐一引薦給侯生。

35. 為壽：古時在向尊者獻酒之前的致詞祝頌叫為壽。

36. 因：藉此機會。

37. 為公子亦足矣：難為公子你也夠多了。

38. 抱關：抱着門閂，意為看門人。關，門閂。

39. 不宜有所過：不應有超越常規的禮節。

40. 故過之：竟然超越了常禮。

41. 過客以觀公子：過訪朋友來觀察公子的氣度。

42. 往數請之：多次去拜訪問候他。

43. 故不復謝：故意不答謝。

44. 魏安釐王二十年：公元前 257 年。

45. 秦昭王已破趙長平軍：指公元前 260 年秦將白起在長平大敗趙括
    率領的四十萬趙軍。

46. 數遺魏王及公子書：多次送信給魏王和信陵君。

47. 壁鄴：在鄴紮營。鄴，在今河北省臨漳縣西南鄴鎮東。

48. 使者冠蓋相屬：使臣往來不絕。冠蓋，冠冕和車蓋。

49. 讓：責備。

50. 自附：自願依託。

51. 高義：高尚的節義。

52. 急人之困：解除別人的困難。

53. 縱輕勝：縱，縱然，即使；勝，平原君名趙勝。

54. 賓客辯士說王萬端：賓客辯士用盡各種策略來遊說魏王。

55. 自度終不能得之於王：自己估計最終也不會爭得魏王的同意。

56. 計不獨生而令趙亡：決計不苟全自己而眼看着趙國滅亡。

57. 約：湊集，備辦。

58. 辭決：告辭訣別。

59. 備：完備，周到。

60. 曾：竟，卻。

61. 失：缺失。

62. 固知：本來就知道。

63. 他端：別的辦法。

64. 餒虎：飢餓的老虎。

65. 尚安事客：還要賓客幹什麼用？尚，還；安，何；事，用。

66. 恨：遺憾。

67. 屏人間語：讓旁人走開，秘密地談話。屏：使退避。

68. 晉鄙之兵符常在王臥內：兵符，古代調遣軍隊的憑證。用銅鑄成虎
    形，背有銘文，剖為兩半，中央和統兵將領各留一半，調兵時由中
    央派使臣持中央的一半到軍中，與軍中一半驗合後，才能調動軍
    隊，又稱銅虎符。臥內，臥室。

69. 幸：受寵愛。

70. 力：一定，肯定。

71. 資之三年：懷恨三年。資，積累。

72. 為公子泣：向公子哭訴。

73. 無所辭：不會推辭。

74. 顧未有路耳：只是沒有機會罷了。

75. 誠：如果。

76. 得虎符奪晉鄙軍：得到虎符奪取晉鄙軍隊的指揮權。

77. 卻秦：擊退秦軍。

78. 五霸之伐：如同春秋五霸那樣的功績。五霸，春秋時在諸侯中勢力
    強大，稱霸一時的五個諸侯盟主。其說不一，通行的說法是指齊桓
    公、晉文公、秦穆公、宋襄公、楚莊王。伐，功勞，功績。

79. 將在外，主令有所不受：《孫子兵法・九變篇》：「凡用兵之法，
    將受命於君，合軍聚眾……途有所不由，軍有所不擊，城有所不
    攻，地有所不爭，君命有所不受。」這裏所說的意思是，將領統兵
    作戰時，有臨時決斷處置的權力，不一定要事事聽從君主的命令。

80. 以便國家：以有利於國家。

81. 即合符：即使把虎符合了。

82. 復請之：再向魏王請示。

83. 嚇喝宿將：叱咤風雲，富有經驗的老將。嚇，大笑；喝，大叫。

84. 市井鼓刀屠者：市場中操刀宰殺牲畜的屠夫。

85. 親數存之：多次親自來問候我。存，問候。

86. 有急：有重要的事情。

87. 效命之秋：貢獻自己力量的時候。

88. 過謝侯生：去向侯生辭行。

89. 數公子行日：計算公子的行程。

90. 北鄉自剄：面向北方刎頸自殺。

91. 以送公子：以此（北鄉自剄）來報答公子。送，報答。

92. 矯魏王令代晉鄙：假傳魏王的命令，要代替晉鄙為魏軍的統帥。

93. 今單車來代之：今天只有你乘着一輛車過來代替我，沒有護衛的兵士。單車，指只有所乘車輛而無隨護的兵車。

94. 何如哉：怎麼回事。

95. 袖：藏在袖中。

96. 勒兵：整頓部隊。

97. 歸養：回家奉養父母。

98. 選兵：選出的精兵。

99. 解去：解圍而去。

100. 負韊矢為公子先引：揹着盛滿箭支的囊袋為信陵君引路，以示對信陵君的尊重。韊，盛箭的囊袋。

101. 不敢自比於人：不敢與信陵君相比。


　　魏王怒公子之盜其兵符，矯殺晉鄙，公子亦自知也。已卻秦存趙，使將將其軍[102]歸魏，而公子獨與客留趙。趙孝成王德[103]公子之矯奪晉鄙兵而存趙，乃與平原君計，以五城封公子。公子聞之，意驕矜而有自功之色[104]。客有說公子曰：“物有不可忘[105]，或有不可不忘。夫人有德於公子，公子不可忘也；公子有德於人，願公子忘之也。且矯魏王令，奪晉鄙兵以救趙，於趙則有功矣，於魏則未為忠臣也。公子乃自驕而功之，竊為公子不取也。”於是公子立自責[106]，似若無所容者[107]。趙王埽除自迎[108]，執主人之禮，引公子就西階[109]。公子側行辭讓[110]，從東階上。自言辠[111]過，以負於魏，無功於趙。趙王侍酒至暮，口不忍獻五城[112]，以公子退讓也。公子竟[113]留趙。趙王以鄗為公子湯沐邑[114]，魏亦復以信陵奉公子。公子留趙。

公子聞趙有處士毛公藏於博徒[115]，薛公藏於賣漿家[116]，公子欲見兩人，兩人自匿不肯見公子。公子聞所在，乃間步往從此兩人遊[117]，甚歡。平原君聞之，謂其夫人曰：“始吾聞夫人弟公子天下無雙，今吾聞之，乃妄[118]從博徒賣漿者遊，公子妄人[119]耳。”夫人以告公子。公子乃謝夫人去，曰：“始吾聞平原君賢，故負魏王而救趙，以稱[120]平原君。平原君之遊，徒豪舉耳[121]，不求士也。無忌自在大梁時，常聞此兩人賢，至趙，恐不得見。以無忌從之遊，尚恐其不我欲[122]也，今平原君乃以為羞，其不足從遊[123]。”乃裝為去[124]。夫人具以語平原君。平原君乃免冠謝[125]，固留公子。平原君門下聞之，半去平原君歸公子[126]，天下士復往歸公子，公子傾平原君客[127]。

公子留趙十年不歸。秦聞公子在趙，日夜出兵東伐魏。魏王患之，使使往請公子。公子恐其怒之[128]，乃誡門下：“有敢為魏王使通者[129]，死。”賓客皆背魏之趙[130]，莫敢勸公子歸。毛公、薛公兩人往見公子曰：“公子所以重於趙，名聞諸侯者，徒以有魏也[131]。今秦攻魏，魏急而公子不恤[132]，使秦破大梁而夷先王之宗廟[133]，公子當何面目立天下乎？”語未及卒，公子立變色，告車趣駕[134]歸救魏。

魏王見公子，相與[135]泣，而以上將軍印授公子，公子遂將[136]。魏安釐王三十年[137]，公子使使遍告諸侯。諸侯聞公子將，各遣將將兵救魏。公子率五國之兵破秦軍於河外[138]，走蒙驁。遂乘勝逐秦軍至函谷關[139]，抑秦兵[140]，秦兵不敢出。當是時，公子威振天下，諸侯之客進兵法，公子皆名之[141]，故世俗稱《魏公子兵法》。

秦王患之，乃行金[142]萬斤於魏，求晉鄙客[143]，令毀公子於魏王[144]曰：“公子亡在外十年矣，今為魏將，諸侯將皆屬，諸侯徒聞魏公子，不聞魏王。公子亦欲因此時[145]定南面而王，諸侯畏公子之威，方欲共立之[146]。”秦數使反間，偽賀公子得立為魏王未也[147]。魏王日聞其毀，不能不信，後果使人代公子將。公子自知再以毀廢[148]，乃謝病不朝[149]，與賓客為長夜飲[150]，飲醇酒，多近婦女。日夜為樂飲者四歲[151]，竟病酒而卒[152]。其歲[153]，魏安釐王亦薨。

秦聞公子死，使蒙驁攻魏，拔二十城，初置東郡[154]。其後秦稍蠶食魏[155]，十八歲[156]而虜魏王，屠大梁[157]。

高祖始微少時[158]，數聞公子賢。及即天子位，每過大梁，常祠 [159] 公子。高祖十二年，從擊黥布還，為公子置守塚五家 [160]，世世歲以四時奉祠公子 [161]。

## 注釋

102. 使將將其軍：派遣一位將領帶領着魏國的軍隊。前"將"字，將軍；後"將"字，率領。

103. 德：感激。

104. 意驕矜而有自功之色：內心驕傲自得而臉上露出自以為有功的神色。驕矜，驕傲自大；自功，自己認為有功。

105. 物有不可忘：有些事不可以忘記。

106. 立自責：立刻自己責備自己。

107. 似若無所容者：窘迫得似乎無處容身。

108. 埽除自迎：洗掃街道，親自迎接信陵君。

109. 執主人之禮，引公子就西階：古代迎賓升堂的禮節規定，主人從東階上，引導賓客從西階上，以示對賓客的尊敬。賓客若自謙降低身份，則與主人同從東階升堂。

110. 側行辭讓：謙恭地側着身子走，不停地表示謙讓。

111. 皋：古"罪"字。

112. 口不忍獻五城：不好開口獻給信陵君五城。

113. 竟：最終。

114. 以鄗為公子湯沐邑：將鄗賜給信陵君作為他日常生活來源之地。鄗，今河北省高邑縣東南。湯沐邑，古代天子賜給諸侯的封邑，邑內的收入供諸侯來朝時齋戒自潔之用，這裏是指供養生活取用的地方。

115. 有處士毛公藏於博徒：處士，有才德而隱居不仕的人；博徒，聚賭的人。

116. 賣漿家：出賣酒漿的店家。

117. 間步往從此兩人遊：間步，私下步行；遊，交遊，交往。

118. 妄：不加分別，胡亂。

119. 妄人：沒有理智，對自己的行為沒有節制的人。

120. 稱：符合，滿足。

121. 徒豪舉耳：僅僅是聚集豪俠有名之輩。

122. 不我欲：倒裝句式，即不要我。

123. 其不足從遊：他不足以跟我交遊，成為朋友。

124. 乃裝為去：於是整理行裝準備離去。

125. 免冠謝：摘下帽子謝罪。

126. 半去平原君歸公子：有一半左右的門客離開平原君，投奔到信陵
君門下。

127. 公子傾平原君客：信陵君的門客遠遠超過了平原君。

128. 恐其怒之：擔心魏王還記恨他以前的所為。

129. 有敢為魏王使通者：有敢於替魏王使者通融傳話的。

130. 背魏之趙：背棄魏國而到趙國。

131. 徒以有魏也：只是因為有魏國的存在。

132. 不恤：沒有顧念，無動於衷。

133. 夷先王之宗廟：鏟平魏國祖先的宗廟，即滅亡魏國。

134. 告車趣駕：吩咐車夫趕快套車。趣，催促。

135. 相與：相互面對。

136. 遂將：於是成為魏國的上將軍。

137. 魏安釐王三十年：公元前 247 年。

138. 率五國之兵破秦軍於河外：五國之兵，指齊、楚、燕、韓、趙五
國的軍隊；河外，今山西、河南兩省境內黃河以西和以南地區的
通稱。

139. 函谷關：在今河南省靈寶市區北十五公里的王垛村。

140. 抑秦兵：將秦兵壓制在函谷關以西。

141. 皆名之：佔有在自己名下。

142. 行金：行，行賄；金，一般指黃銅。

143. 求晉鄙客：訪求晉鄙的門客。

144. 令毀公子於魏王：利用賄賂讓晉鄙的門客在魏王面前詆毀信陵君。

145. 因此時：利用這個時機。

146. 方欲共立之：正準備一同擁戴他為王。

147. 偽賀公子得立為魏王未也：假裝到魏國來準備朝賀公子立為魏王，到後才假裝知道公子並沒有成為魏王。

148. 再以毀廢：因為詆毀而第二次被剝奪權力，第一次是指竊符救趙而流亡十年。

149. 謝病不朝：託詞有病，不再參與政治。

150. 長夜飲：通宵達旦地飲酒。

151. 四歲：四年。

152. 竟病酒而卒：最終因飲酒過量得病而死。

153. 其歲：魏安釐王三十四年，公元前243年。

154. 東郡：今山東省聊城市至河南省開封市以北地區。

155. 稍蠶食魏：漸漸地一點點地吞併魏國土地。

156. 十八歲：秦王嬴政二十二年（前225）秦滅魏，距信陵君死正好十八年。

157. 屠大梁：屠殺大梁城中軍民。

158. 始微少時：當初還默默無聞之時。

159. 祠：祭祀。

160. 置守塚五家：安排五戶人家居住在信陵君的墳墓附近，專門給他看管墳墓。

161. 世世歲以四時奉祠公子：（從此之後）這五戶人家的每一代人都要在一年中按照四時的季節供奉祭祀信陵君。

太史公曰：吾過大梁之墟[162]，求問其所謂夷門。夷門者，城之東門也。天下諸公子亦有喜士者矣，然信陵君之接岩穴隱者[163]，不恥下交，有以也[164]。名冠諸侯，不虛耳[165]。高祖每過之而令民奉祠不絕也。

## 注釋

162. 大梁之墟：西漢時期大梁城已成為一座廢墟。
163. 接岩穴隱者：與隱藏在民間的賢士交往。岩穴，藉指民間不為人注意的地方。
164. 有以也：多有招賢納士的水平啊。
165. 不虛耳：沒有虛傳。

## 串講

魏公子即信陵君，著名的“戰國四公子”之一。其在司馬遷的人物譜中，屬於上上等人物，因此此篇傳記也是司馬遷傾注心力、精心結構的名篇。信陵君聲震天下，名冠諸侯，但司馬遷卻將更多的筆墨放在了最能體現信陵君禮賢下士的竊符救趙一事上：

魏國有隱士名侯嬴，大梁城東門的看門人。公子以禮相送，但侯嬴不接受。公子遂攜車馬及隨從人員，空出車上左位，親自到東城門去迎接侯嬴。侯嬴絲毫沒有謙讓的意思，並請公子隨其去下層市場拜訪自己的朋友朱亥，在鬧市中遲遲不走，但此時公子的面色更加和悅。與此同時，魏國權貴正坐滿堂上，等公子舉杯開宴。侯嬴見公子面色始終不變，才別友上車。至家後，公子領侯嬴坐到上位，並將全體賓客逐一引薦給侯嬴，滿堂賓客無不驚異。公子為侯嬴敬酒時，侯嬴趁機告知公子，其欲成就公子名聲，故意讓公子車馬久久地停在街市中，使街市上的人看到公子的禮賢下士。同時侯嬴向公子薦其友屠夫朱亥，但公子曾多次前往拜見朱亥，朱亥故意不回拜答謝。

魏安釐王二十年（前257），秦軍圍攻邯鄲。趙國向魏國請求救兵。在秦國的威脅下，魏國軍隊駐紮於鄴城，按兵不動。平原君的催促使魏公子憂慮萬分，公子估計魏王不會出兵，欲攜賓客趕往戰場上與秦軍拚命，與趙國人一起死難。公子帶車隊過東門時，向侯嬴訣別。侯嬴沒有什麼表示。公子走後心存疑惑，折路而回。侯嬴一見公子即笑言意料之中，建議公子請求魏王愛妾如姬幫忙盜出晉鄙兵符，之後調動魏國十萬大軍去解邯鄲之圍。

公子拿到兵符後，侯嬴又讓朱亥與公子一同前往，以備不測。臨行，侯嬴對公子說："臣宜從，老不能。請數公子行日，以至晉鄙軍之日，北鄉自剄，以送公子。"到了鄴城，朱亥以鐵椎擊死晉鄙。公子經過整頓選拔，得到精兵八萬人。邯鄲得救，保住了趙國。公子與侯嬴訣別之後，在到達他鄴城軍營的那一天，侯嬴果然面向北刎頸而死。

在打退秦軍拯救趙國之後，公子與其門客留在趙國。趙國有兩個賢人：毛公，藏身於賭徒中；薛公，藏身於賣酒小店。公子徒步同兩人交往，彼此都以相識為樂事。平原君卻對此很不以為然，公子知道後認為平原君的招攬人才只不過是顯示富貴的豪舉，不能真正地求取賢人。公子因此執意要離開趙國，平原君謝罪後才勉強留下。平原君門下的賓客們聽到這件事後，一半人離開平原君歸附於公子，天下的士人也都去投靠公子，歸附在其門下。

十年後，在毛公和薛公的建議下，公子回到魏國，任上將軍。公子率領五個諸侯國的軍隊在黃河以南地區大敗秦軍，將秦軍壓制於函谷關內，使其不敢再出關。當時，公子名聲威震天下，各諸侯國來的賓客都進獻兵法，公子將之整理後，歸於自己名下，世稱《魏公子兵法》。

魏王聽信讒言，懷疑公子要篡奪王位。公子因此託病不朝，於家中同賓客們整夜飲酒，留連女色。四年後，終因飲酒無度患病死亡，這一年，魏安釐王也去世了。又過了十八年，魏國滅亡，大梁城被毀。

漢高祖劉邦做了皇帝後，每經過大梁，常去祭祀公子。漢高祖十一年（前195），劉邦從擊敗黥布的前線歸來，過大梁時為公子安置五戶人家，專門看守其墳墓，讓這五戶人家世世代代祭祀公子。

# 評析

"信陵君是太史公胸中得意人，故本傳亦太史公得意文。"（明‧茅坤）

信陵君在什麼地方得太史公之意呢？是品格而非功業。因為若論功業，那個時代傑出的人物還有很多，但以品格論，被司馬遷由衷敬佩的卻不多。這從《魏公子列傳》的筆法也能夠看出來。本篇傳記，司馬遷以極其秀逸的筆法，一層層向我們展開的是魏公子的仁厚、知人、愛賢、尊士，從侯嬴、朱亥到毛公、薛公，文章極盡描摹的是公子從心性中流出的禮賢下士之風，而不是魏公子身繫魏國存亡的史任與功績。

以傳記着墨最多的竊符救趙一事來說，以一己之力救一國之安危，本身就是了不起的事蹟，但司馬遷卻並沒有在此事的具體細節上花太多的筆墨，也沒有製造趙國危在旦夕的懸局。他省去了最具故事性的部分，卻從夷門侯生寫起。侯嬴不是等閒之輩，但司馬遷也沒有展開去寫他，只一句"魏有隱士曰侯嬴，年七十，家貧，為大梁夷門監者"就算過了，着重寫的還是魏公子親迎侯生一事。這一節不僅對話詳細，而且公子的具體動作和神情也一一出現在司馬遷筆下，如"公子執轡愈恭"、"公子顏色愈和"，這些細節向我們刻畫的是魏公子能夠下士的品格。竊符救趙一事中，魏公子的成功得益於三個人：侯嬴、如姬、朱亥。這三個人都是因為魏公子愛賢尊士或有恩於己，竭盡全力回報公子。這種回報也是司馬遷關注的地方之一，竊符救趙是，以謙遜的姿態留在趙國是，最後回魏國也是。沒有這些"客"和"士"的智慧，魏公子不會受到那麼多的尊重和成功。能夠獲得這些智慧，正是在於信陵君的君子之風。

　　《魏公子列傳》除了描摹信陵君的下士之風外，還以傳神的筆墨使魏公子與賢士傾心相得之事活現紙上。侯嬴的"北鄉自剄，以送公子"，毛公、薛公與公子的相知樂事，雖千載之後，仍是生氣盎然，猶存天地之間。清代人湯諧稱《魏公子列傳》："文二千五百餘字，而'公子'字凡一百四十餘，見極盡慨慕之意。其神理處處酣暢，精彩處處煥發，體勢處處密栗，態昧處處濃郁，機致處處飛舞，節奏處處鏗鏘。初讀之，愛其諸美畢兼，領取無窮；讀之既久，更如江心皓月，一片空明。"

　　太史公以風骨品格之事，寫風骨品格之人，文理情致絲絲入扣，文章之妙，莫過於此了。

# 廉頗藺相如列傳

廉頗者，趙之良將也。趙惠文王十六年[1]，廉頗為趙將伐齊，大破之，取陽晉[2]，拜為上卿，以勇氣聞於諸侯。藺相如者，趙人也，為趙宦者令繆賢舍人[3]。

戰國・鏤雕螭鳳紋出廓式玉璧

趙惠文王時，得楚和氏璧[4]。秦昭王聞之，使人遺趙王書[5]，願以十五城請易璧[6]。趙王與大將軍廉頗諸大臣謀：欲予秦，秦城恐不可得，徒見欺[7]；欲勿予，即患秦兵之來。計未定，求人可使報秦者[8]，未得。宦者令繆賢曰："臣舍人藺相如可使。"王問："何以知之？"對曰："臣嘗有罪，竊計欲亡走燕[9]，臣舍人相如止臣[10]，曰：'君何以知燕王？'臣語曰：'臣嘗從大王與燕王會境上，燕王私握臣手，曰願結友。以此知之，故欲往。'相如謂臣曰：'夫趙強而燕弱，而君幸於趙王，故燕王欲結於君。今君乃亡趙走燕，燕畏趙，其勢必不敢留君，而束君歸趙[11]矣。君不如肉袒伏斧質[12]請罪，則幸得脫矣[13]。'臣從其計，大王亦幸赦臣。臣竊以為其人勇士，有智謀，宜可使[14]。"於是王召見，問藺相如曰："秦王以十五城請易寡人之璧，可予不[15]？"相如曰："秦強而趙弱，不可不許。"王曰："取吾璧，不予我城，奈何？"相如曰："秦以城求璧而趙不許，曲在趙[16]。趙予璧而秦不予趙城，曲在秦。均之二策[17]，寧許以負秦曲[18]。"王曰："誰可使者？"相如曰："王必無人，臣願奉璧往使。城入趙而璧留秦；城不入，臣請完璧歸趙。"趙王於是遂遣相如奉璧西入秦。

秦王坐章台[19]見相如，相如奉璧奏[20]秦王。秦王大喜，傳以示美人及左右[21]，左右皆呼萬歲。相如視秦王無意償趙城[22]，乃前曰："璧有瑕[23]，請指示王。"王授璧，相如因持璧卻立[24]，倚柱，怒髮上衝冠[25]，謂秦王曰："大王欲得璧，使人發書至趙王，趙王悉召群臣議，皆曰'秦貪，負其強[26]，以空言求璧，償城恐不可得'。議不欲予秦璧。臣以為布衣之交[27]尚不相欺，況大國乎！且以一璧之故逆強秦之歡[28]，不可。於是趙王乃齋戒[29]五日，使臣奉璧，拜送書於庭[30]。何者？嚴大國之威以修敬[31]也。今臣至，大王見臣列觀[32]，禮節甚倨[33]；得璧，傳之美人，以戲弄臣。臣觀大王無意償趙王城邑，故臣復取璧。大王必欲急臣[34]，臣頭今與璧俱碎於柱矣！"相如持其璧睨柱[35]，欲以擊柱。秦王恐其破璧，乃辭謝固請[36]，召有司案圖[37]，指從此以往[38]十五都予趙。相如度秦王特以詐詳為予趙城[39]，實不可得，乃謂秦王曰："和氏璧，天下所共傳寶[40]也，趙王恐，不敢不獻。趙王送璧時，齋戒五日，今大王亦宜齋戒五日，設九賓[41]於廷，臣乃敢上璧。"秦王度之，終不可強奪，遂許齋五日，舍相如廣成傳[42]。相如度秦王雖齋，決負約[43]不償城，乃使其從者衣褐[44]，懷其璧[45]，從徑道亡[46]，歸璧於趙。

秦王齋五日後，乃設九賓禮於廷，引趙使者藺相如。相如至，謂秦王曰："秦自繆公以來二十餘君，未嘗有堅明約束[47]者也。臣誠恐見欺於王而負趙[48]，故令人持璧歸，間至趙[49]矣。且秦強而趙弱，大王遣一介[50]之使至趙，趙立奉璧來。今以秦之強而先割十五都予趙，趙豈敢留璧而得罪大王乎？臣知欺大王之罪當誅，臣請就湯鑊[51]，惟大王與群臣孰計議之[52]。"秦王與群臣相視而嘻[53]。左右或欲引相如去[54]，秦王因曰："今殺相如，終不能得璧也，而絕秦趙之歡，不如因而厚遇之[55]，使歸趙，趙王豈以一璧之故欺秦邪！"卒廷見相如[56]，畢禮而歸之[57]。

相如既歸，趙王以為賢大夫，使不辱於諸侯，拜相如為上大夫。秦亦不以城予趙，趙亦終不予秦璧。

其後秦伐趙，拔石城[58]。明年，復攻趙，殺二萬人。

秦王使使者告趙王，欲與王為好會於西河外澠池[59]。趙王畏秦，欲毋行[60]，廉頗、藺相如計[61]曰："王不行，示趙弱且怯也。"趙王遂行，相如從。廉頗送至境，與王訣[62]曰：“王行，度道里會遇之禮畢[63]，還，不過三十日。三十日不還，則請立太子為王，以絕秦望[64]。”王許之，遂與秦王會澠池。秦王飲酒酣，曰：“寡人竊聞趙王好音，請奏瑟[65]。”趙王鼓[66]瑟。秦御史[67]前書曰“某年月日[68]，秦王與趙王會飲，令趙王鼓瑟”。藺相如前曰：“趙王竊聞秦王善為秦聲[69]，請奏盆缻秦王[70]，以相娛樂。”秦王怒，不許。於是相如前進缻，因跪請秦王。秦王不肯擊缻。相如曰：“五步之內，相如請得以頸血濺大王[71]矣！”左右欲刃[72]相如，相如張目叱之[73]，左右皆靡[74]。於是秦王不懌[75]，為一擊缻[76]。相如顧召[77]趙御史書曰“某年月日，秦王為趙王擊缻”。秦之群臣曰：“請以趙十五城為秦王壽[78]。”藺相如亦曰：“請以秦之咸陽為趙王壽。”秦王竟酒[79]，終不能加勝[80]於趙。趙亦盛設兵以待秦[81]，秦不敢動。

既罷歸國，以相如功大，拜為上卿，位在廉頗之右[82]。廉頗曰：“我為趙將，有攻城野戰之大功，而藺相如徒以口舌為勞，而位居我上，且相如素賤人[83]，吾羞，不忍為之下。”宣言曰：“我見相如，必辱之。”相如聞，不肯與會。相如每朝時，常稱病，不欲與廉頗爭列[84]。已而[85]相如出，望見廉頗，相如引車避匿[86]。於是舍人相與諫[87]曰：“臣所以去親戚而事君[88]者，徒慕君之高義[89]也。今君與廉頗同列，廉君宣惡言而君畏匿之，恐懼殊甚[90]，且庸人尚羞之，況於將相乎！臣等不肖[91]，請辭去。」藺相如固止之[92]，曰：「公之視廉將軍孰與秦王？」曰：「不若也。」相如曰：「夫以秦王之威，而相如廷叱之，辱其群臣，相如雖駑[93]，獨畏廉將軍哉[94]？顧吾念之[95]，強秦之所以不敢加兵於趙者，徒以吾兩人在也。今兩虎共鬥，其勢不俱生。吾所以為此者，以先國家之急而後私仇[96]也。」廉頗聞之，肉袒負荊[97]，因賓客[98]至藺相如門謝罪。曰：「鄙賤之人，不知將軍寬之至此也。」卒相與歡，為刎頸之交。

## 注釋

1. 趙惠文王十六年：公元前 283 年。

2. 陽晉：今山東省鄆城縣西。

3. 宦者令繆賢舍人：宦者令，宮中太監的長官；舍人，門客。

4. 和氏璧：楚國人卞和在山中得到玉璞（玉包在石中），獻給楚厲王，厲王派玉匠鑒別，說是石塊。厲王以為受到了卞和的誆騙，下令砍斷卞和左足。楚武王即位，卞和又獻璞，玉匠仍說是石塊。他又被砍斷右足。楚文王即位，卞和抱璞在山中大哭。文王令匠人把璞剖開，裏邊果然是一塊美玉，加工成一塊玉璧，命名為和氏之璧。這個故事見於《韓非子・和氏篇》。

5. 遺趙王書：送給趙王書信。

6. 願以十五城請易璧：願意拿十五座城池換取和氏璧。

7. 徒見欺：白白受到欺騙。

8. 求人可使報秦者：尋求一位能夠到秦國交涉這件事的人。

9. 竊計欲亡走燕：偷偷打算逃往燕國。

10. 止臣：勸我不要這麼做。

11. 束君歸趙：把你捆起來遣送回趙國。

12. 肉袒伏斧質：肉袒，脫去上衣，露出肌膚；斧質，古代殺人刑具。

13. 則幸得脫矣：這樣就能夠僥倖得到赦免。

14. 宜可使：應該可以擔當這個差事。

15. 不：否定副詞，可以當"可否"的"否"來用。

16. 曲在趙：理曲的是趙國。

17. 均之二策：權衡這兩個方面。

18. 寧許以負秦曲：寧可許諾而讓秦國揹上理曲的包袱。

19. 章台：秦王休閒別墅（離宮）中的一座台觀建築物。

20. 奏：進獻。

21. 傳以示美人及左右：依次傳遞給在身邊伺候的姬妾美女和近臣看。

22. 視秦王無意償趙城：看樣子秦王沒有把十五座城池抵償給趙國的意思。

23. 瑕：玉上的小斑痕。

24. 卻立：退後幾步站住。

25. 怒髮上衝冠：（極力誇張他的憤怒）頭髮因發怒而豎起，把頭上的帽子也頂了起來。

26. 負其強：倚仗着它的強大。

27. 布衣之交：普通百姓的交往。

28. 逆強秦之歡：觸犯強大的秦國的交好之意。

29. 齋戒：古人在祭祀之前，要沐浴更衣，不飲酒，不食葷腥，遠離女色，以達到清淨心志，更好地與神靈交流的目的，稱為齋戒。

30. 庭：正式聽政的朝堂。

31. 嚴大國之威以修敬：尊重大國的威望而以鄭重的禮節表示尊敬。

32. 列觀：一般的台觀，指會見的場所不正式。

33. 倨：傲慢無禮。

34. 急臣：逼迫我。

35. 睨柱：斜着眼睛瞄着廳堂中的立柱。

36. 辭謝固請：為自己的失禮之處道歉，並努力地勸說藺相如不要舉璧撞柱。

37. 召有司案圖：召來掌管國家圖籍的官吏，取來地圖察看。有司，主
    管某方面事務的官吏。

38. 指從此以往：指着從這裏到那裏。

39. 特以詐詳為予趙城：故意裝作要把這些城池抵償給趙國。

40. 天下所共傳寶：天下公認的寶物。

41. 九賓：當時外交上最隆重的禮儀，由九名迎賓典禮人員，依次傳呼
    接引賓客上殿。

42. 舍相如廣成傳：安排藺相如住在廣成賓館中。傳，傳舍，賓館。

43. 決負約：必然會違背約定。

44. 使其從者衣褐：派他的隨從穿上普通老百姓的衣服。

45. 懷：懷揣，藏在懷中。

46. 從徑道亡：從小路逃離秦國。

47. 堅明約束：嚴格遵守各種協議和約定。

48. 恐見欺於王而負趙：害怕被大王欺騙而對不起趙國。

49. 間至趙：抄小路回到趙國。

50. 一介：一個。

51. 湯鑊：開水鍋，即烹刑，古代的一種酷刑，把犯人投入開水鍋中燙
    死。“就湯鑊”等於說願受烹刑。

52. 惟大王與群臣孰計議之：只是希望大王與群臣認真地商量一下這件
    事。

53. 相視而嘻：相互對視一眼，發出鬱悶的歎息。嘻，憤怒之聲。

54. 引相如去：拉走藺相如。

55. 因而厚遇之：藉機好好地款待他。

56. 卒廷見相如：於是在朝堂上正式接見藺相如。

57. 畢禮而歸之：完成正式的九賓接待之禮，然後送藺相如回趙國。

58. 拔石城：攻取石城。石城，今河南省林縣西南九十里。

59. 好會於西河外澠池：好會，友好的會面；西河，黃河在陝西、山西

兩省交界處為南北流向，當時稱為西河，其南半段在魏國境內；澠池，今河南省澠池縣。

60. 欲毋行：不打算去。

61. 計：商量。

62. 訣：將遠行而互相告別，又可理解為死別。廉頗擔心趙王遇險不能返趙，所以作訣別之語。

63. 度道里會遇之禮畢：估計一路上的行程，再加上會談全部完成的時間。度，估計。

64. 絕秦望：斷絕秦國的非分想法，即拘禁趙王來要挾趙國。

65. 瑟：古樂器，形狀與古琴相似，有二十五弦。

66. 鼓：演奏。

67. 御史：戰國時負責掌管國家各種文書，記載國家大事的官員。

68. 某年月日：某年某月某日，當時的具體日期已經不知道，為了還原當時的情景，只有這樣記載。

69. 秦聲：秦國的地方音樂。

70. 請奏盆缻秦王：讓我將盆缻進獻給秦王，請你拍擊盆缻為歌。缻，盛酒漿的瓦器。

71. 請得以頸血濺大王：讓我脖子上流出的血噴濺在大王身上。這是在威脅秦王，若秦王不肯擊缻，則藺相如會跟他同歸於盡。

72. 刃：這裏做動詞，拔刀刺。

73. 張目叱之：瞪大了眼睛呵斥他們。

74. 靡：退縮。

75. 不懌：不情願。

76. 為一擊缻：（在藺相如的威脅下）在缻上拍了一下。

77. 顧召：回過頭去命令。

78. 壽：獻禮祝酒。

79. 竟酒：酒席完畢。

80. 加勝：超過，蓋過。

81. 盛設兵以待秦：在邊境陳設大量軍隊，防備秦國的入侵。

82. 位在廉頗之右：官位在廉頗之上。當時政府文書主要為竹簡，順序為從右往左，那麼在官員任職的文書記錄中，官位高的自然在前面，也就是在官位低的名字右邊。

83. 素賤人：從來都是貧賤之人。

84. 爭列：爭位次的先後。

85. 已而：後來。

86. 避匿：躲避。

87. 舍人相與諫：門客一同抗議。

88. 去親戚而事君：離開親人朋友投奔效勞在您的門下。

89. 徒慕君之高義：只是仰慕您的高尚的品德和不屈的精神。

90. 恐懼殊甚：過於害怕。

91. 臣等不肖：我們在您的行為面前都不合格。

92. 固止之：堅決地留下他們。

93. 雖駑：雖然沒本事。

94. 獨畏廉將軍哉：難道單單怕廉將軍嗎。

95. 顧吾念之：只是因為我想到。

96. 先國家之急而後私仇：將國家的安危放在私人恩怨之前。

97. 肉袒負荊：露出胳膊，揹着荊條做的刑杖。

98. 因賓客：由賓客引領。


是歲，廉頗東攻齊，破其一軍。居二年[99]，廉頗復伐齊幾[100]，拔之。後三年，廉頗攻魏之防陵、安陽[101]，拔之。後四年，藺相如將而攻齊，至平邑[102]而罷。其明年，趙奢破秦軍閼與[103]下。

趙奢者，趙之田部吏[104]也。收租稅而平原君家不肯出租，奢以法治之，殺平原君用事者[105]九人。平原君怒，將殺奢。奢因說[106]曰：“君於趙為貴公子，今縱君家而不奉公則法削[107]，法削則國弱，國弱則諸侯加兵[108]，諸侯加兵是無趙也，君安得有此富乎？以君之貴，奉公如法則上下平[109]，上下平則國強，國強則趙固，而君為貴戚，豈輕於天下邪[110]？”平原君以為賢，言之於王。王用之治國賦[111]，國賦大平，民富而府庫實。

　　秦伐韓，軍於閼與。王召廉頗而問曰：“可救不？”對曰：“道遠險狹[112]，難救。”又召樂乘而問焉，樂乘對如廉頗言。又召問趙奢，奢對曰：“其道遠險狹，譬之猶兩鼠鬥於穴中[113]，將勇者勝。”王乃令趙奢將，救之。

　　兵去邯鄲三十里[114]，而令軍中曰：“有以軍事諫者死[115]。”秦軍軍武安[116]西，秦軍鼓噪勒兵[117]，武安屋瓦盡振[118]。軍中候[119]有一人言急救武安，趙奢立斬之。堅壁[120]，留二十八日不行，復益增壘[121]。秦間[122]來入，趙奢善食而遣之[123]。間以報秦將，秦將大喜曰：“夫去國三十里[124]而軍不行，乃增壘，閼與非趙地也[125]。”趙奢既已遣秦間，乃捲甲而趨之[126]，二日一夜至，令善射者去閼與五十里而軍[127]。軍壘成，秦人聞之，悉甲而至[128]。軍士許歷請以軍事諫[129]，趙奢曰：“內之[130]。”許歷曰：“秦人不意[131]趙師至此，其來氣盛，將軍必厚集其陣以待之[132]。不然，必敗。”趙奢曰：“請受令[133]。”許歷曰：“請就鈇質之誅[134]。”趙奢曰：“胥後令邯鄲[135]。”許歷復請諫，曰：“先據北山上者勝，後至者敗。”趙奢許諾，即發萬人趨之[136]。秦兵後至，爭山不得上，趙奢縱兵擊之，大破秦軍。秦軍解而走，遂解閼與之圍而歸。

趙惠文王賜奢號為馬服[137]君，以許歷為國尉。趙奢於是與廉頗、藺相如同位。

後四年，趙惠文王卒，子孝成王立。七年[138]，秦與趙兵相距長平，時趙奢已死，而藺相如病篤[139]，趙使廉頗將攻秦，秦數敗趙軍，趙軍固壁[140]不戰。秦數挑戰，廉頗不肯。趙王信秦之間[141]。秦之間言曰：“秦之所惡[142]，獨畏馬服君趙奢之子趙括為將耳。”趙王因以括為將，代廉頗。藺相如曰：“王以名使括[143]，若膠柱而鼓瑟[144]耳。括徒能讀其父書傳[145]，不知合變[146]也。”趙王不聽，遂將之。

趙括自少時學兵法，言兵事，以天下莫能當。嘗與其父奢言兵事，奢不能難，然不謂善[147]。括母問奢其故，奢曰：“兵，死地也[148]，而括易言之[149]。使趙不將括即已[150]，若必將之，破趙軍者必括也。”及括將行，其母上書言於王曰：“括不可使將。”王曰：“何以？”對曰：“始妾事其父，時為將[151]，身所奉飯飲而進食者以十數[152]，所友者[153]以百數，大王及宗室所賞賜者盡以予軍吏士大夫[154]，受命之日，不問家事。今括一旦為將，東向而朝[155]，軍吏無敢仰視之者，王所賜金帛，歸藏於家，而日視便利田宅可買者買之[156]。王以為何如其父[157]？父子異心，願王勿遣[158]。"王曰："毋置之[159]，吾已決矣。"括母因曰："王終[160]遣之，即有如不稱[161]，妾得無隨坐乎[162]？"王許諾。

趙括既代廉頗，悉更約束[163]，易置軍吏[164]。秦將白起聞之，縱奇兵，詳[165]敗走，而絕其糧道[166]，分斷其軍為二，士卒離心。四十餘日，軍餓，趙括出銳卒自搏戰[167]，秦軍射殺趙括。括軍敗，數十萬之眾遂降秦，秦悉阬之[168]。趙前後所亡凡四十五萬。明年，秦兵遂圍邯鄲，歲餘，幾不得脫[169]。賴楚、魏諸侯來救，乃得解邯鄲之圍。趙王亦以括母先言，竟不誅也。自邯鄲圍解五年，而燕用栗腹之謀[170]，曰"趙壯者盡於長平[171]，其孤未壯[172]"，舉兵擊趙。趙使廉頗將，擊，大破燕軍於鄗[173]，殺栗腹，遂圍燕。燕割五城請和，乃聽之。趙以尉文封廉頗為信平君[174]，為假相國[175]。

廉頗之免長平歸也[176]，失勢之時，故客盡去[177]。及復用為將，客又復至。廉頗曰："客退矣[178]！"客曰："吁！君何見之晚也[179]？夫天下以市道交[180]，君有勢，我則從君，君無勢則去，此固其理也，有何怨乎？"居六年，趙使廉頗伐魏之繁陽[181]，拔之。

趙孝成王卒，子悼襄王立，使樂乘代廉頗。廉頗怒，攻樂乘，樂乘走。廉頗遂奔魏之大梁[182]。其明年，趙乃以李牧為將而攻燕，拔武遂、方城[183]。

廉頗居梁久之，魏不能信用。趙以數困於秦兵，趙王思復得廉頗，廉頗亦思復用於趙。趙王使使者視廉頗尚可用否。廉頗之仇郭開多與使者金，令毀之[184]。趙使者既見廉頗，廉頗為之一飯斗米[185]，肉十斤，被甲上馬，以示尚可用。趙使還報王曰：“廉將軍雖老，尚善飯，然與臣坐，頃之三遺矢[186]矣。”趙王以為老，遂不召。

　　楚聞廉頗在魏，陰使人迎之。廉頗一為楚將，無功，曰：“我思用趙人[187]。”廉頗卒死於壽春[188]。

## 注釋

99. 居二年：過了兩年。

100. 幾：在今河北省大名縣東南。

101. 防陵、安陽：防陵，今河南省安陽市南；安陽，今河南省安陽市東南。

102. 平邑：今河南省南樂縣東北的平邑村。

103. 閼與：今山西省和順縣西北。

104. 田部吏：收田租的官吏。

105. 用事者：具體的管事之人。

106. 因說：趁機向平原君陳說。

107. 縱君家而不奉公則法削：放縱你家而不尊從公共的制度，那麼國家的法度就會被削弱。

108. 加兵：派軍隊來威脅。

109. 上下平：國家利益和私家利益都得到公平的處理。

110. 豈輕於天下邪：難道要被天下人所輕視嗎。

111. 用之治國賦：用趙奢來管理國家的稅收。

112. 道遠險狹：路途遠而山路險要。

113. 譬之猶兩鼠鬥於穴中：打個比方說，就好像兩隻老鼠在洞穴中打鬥。

114. 兵去邯鄲三十里：去，離開。即剛剛離開國都邯鄲三十里就停了下來。

115. 有以軍事諫者死：有因為軍事問題而前來進言的，處以死刑。

116. 武安：今河北省武安縣。

117. 鼓噪勒兵：在隆隆的軍鼓聲中檢閱軍隊，以示軍威。

118. 武安屋瓦盡振：武安城內的房瓦都在秦軍的列隊示威聲中震動。

119. 候：即軍候，負責偵查敵情的士兵。

120. 堅壁：堅守營壘。

121. 復益增壘：又繼續加築軍營的圍牆。

122. 間：間諜。

123. 善食而遣之：好好款待後送他回去。

124. 去國三十里：離開國都三十里。

125. 闕與非趙地也：看來闕與不再是趙國的地方了。

126. 捲甲而趨之：卸去盔甲，輕裝急行軍直奔闕與。

127. 去闕與五十里而軍：離闕與五十里紮營。

128. 悉甲而至：動用全部軍隊趕來。

129. 請以軍事諫：請求以軍事進言。

130. 內之：讓他進來。

131. 不意：沒想到。

132. 厚集其陣以待之：集中優勢兵力，應對來勢洶洶的秦軍。

133. 請受令：接受你的建議。

134. 請就鈇質之誅：請（依照以前的軍令）處我以死刑。

135. 胥後令邯鄲：等回到邯鄲後再聽趙王的發落，即不執行前面的軍令了。

136. 即發萬人趨之：即刻發兵萬人，迅速搶佔北山。

137. 馬服：山名，在今河北省邯鄲市西北。

138. 七年：此處應為六年，趙奢在闕與擊破秦軍是在公元前270年，公元前266年趙孝成王立，公元前260年，秦趙長平之戰。

139. 病篤：病得很厲害。

140. 固壁：堅守營壁。

141. 信秦之間：相信秦國奸細所放出的謠言。

142. 惡：憎恨，畏忌。

143. 以名使括：因為趙括的名聲而任用他。

144. 膠柱而鼓瑟：膠柱，柱是琴瑟類樂器上調弦的木片。膠柱就是把調弦的木片粘死，不能轉動，也就無法調節弦的高低。"膠柱鼓瑟"比喻但守死法，不知變通。

145. 徒能讀其父書傳：僅僅能讀他父親留下來的書籍。

146. 合變：隨機應變。

147. 然不謂善：但是並不稱讚趙括的才能。

148. 兵，死地也：用兵往往是在極其危險的場合。

149. 易言之：輕鬆地談論用兵。

150. 不將括即已：不讓趙括為將就罷了。

151. 時為將：當時正好為將。

152. 身所奉飯飲而進食者以十數：他所尊敬並親自伺候飲食的長者有幾十人。以十數：以十為基數來數，即幾十人。

153. 所友者：當朋友來對待的。

154. 盡以予軍吏士大夫：都統統分給軍中的文武官員。

155. 東向而朝：坐在尊位上接受下屬的朝見。東向，坐西面東。古時帝王以南向為尊，公侯將相則以東向為尊。

156. 日視便利田宅可買者買之：每天尋找便宜合適的土地和房屋，可以買下來的就買下來。

157. 何如其父：哪一點像他父親。

158. 勿遣：不要派遣他擔此重任。

159. 母置之：你先不要管了。

160. 終：一定要。

161. 有如不稱：有不稱職的地方。

162. 妾得無隨坐乎：我可以不受牽連獲罪嗎。隨坐，連坐，牽連獲罪。

163. 悉更約束：將原來的各種軍規法令全部都改了。

164. 易置軍吏：更換了各個位置上的軍吏。

165. 詳：佯裝。

166. 絕其糧道：截斷趙軍運輸糧草的道路。

167. 出銳卒自搏戰：親自率領着精銳部隊與秦軍戰鬥。

168. 悉阬之：全部活埋掉趙國降卒。

169. 幾不得脫：幾乎免不了亡國。

170. 栗腹之謀：栗腹的策略。

171. 趙壯者盡於長平：趙國的丁壯大多死於長平一戰。

172. 其孤未壯：他們遺留下來的孤兒還沒有長大。

173. 鄗：今河北省高邑縣東南。

174. 趙以尉文封廉頗為信平君：趙王將尉文邑封給廉頗，號為信平君。尉文，邑名，不知何地。

175. 假相國：臨時的代相國。

176. 廉頗之免長平歸也：指趙任用趙括代替廉頗為將一事。

177. 故客盡去：長期依附的門客都離開廉頗而去。

178. 客退矣：你們請回吧。

179. 君何見之晚也：你的見識怎麼這麼落後啊。

180. 天下以市道交：當前世道的交往，憑藉的是市場交易的法則，即惟利是圖。

181. 繁陽：今河南省內黃縣西北。

182. 奔魏之大梁：逃到魏國的首都大梁。大梁，今河南省開封市。

183. 武遂、方城：武遂，今河北省徐水縣西；方城，今河北省固安縣南。

184. 令毀之：叫趙使者詆毀廉頗。

185.為之一飯斗米：當着趙使者的面一頓飯吃了一斗米。

186.頃之三遺矢：一會的功夫拉了三回屎。矢，同"屎"。

187.我思用趙人：我想指揮趙國人。

188.壽春：今安徽省壽縣，為戰國晚期楚國的首都，城北有廉頗墓。


　　李牧者，趙之北邊良將也。常居代雁門[189]，備匈奴[190]。以便宜置吏[191]，市租皆輸入莫府[192]，為士卒費[193]。日擊數牛饗士[194]，習騎射，謹[195]烽火，多間諜[196]，厚遇戰士。為約[197]曰："匈奴即入盜[198]，急入收保[199]，有敢捕虜者[200]斬。"匈奴每入，烽火謹，輒入收保，不敢戰。如是數歲，亦不亡失[201]。然匈奴以李牧為怯，雖趙邊兵亦以為吾將怯[202]。趙王讓[203]李牧，李牧如故。趙王怒，召之，使他人代將。

　　歲餘，匈奴每來，出戰。出戰，數不利[204]，失亡多[205]，邊不得田畜[206]。復請李牧。牧杜門不出，固稱疾[207]。趙王乃復強起使將兵[208]。牧曰："王必用臣，臣如前[209]，乃敢奉令。"王許之。

　　李牧至，如故約。匈奴數歲無所得。終以為怯。邊士日得賞賜而不用，皆願一戰。於是乃具選車得千三百乘[210]，選騎得萬三千匹，百金之士[211]五萬人，彀者[212]十萬人，悉勒習戰[213]。大縱畜牧，人民滿野[214]。匈奴小入，詳北不勝[215]，以數千人委之[216]。單于聞之，大率眾來入[217]。李牧多為奇陣[218]，張左右翼擊之[219]，大破殺匈奴十餘萬

漢畫像石中的匈奴形象

騎。滅襜襤[220]，破東胡[221]，降林胡[222]，單于奔走。其後十餘歲，匈奴不敢近趙邊城。

趙悼襄王元年[223]，廉頗既亡入魏，趙使李牧攻燕，拔武遂、方城。居二年，龐煖破燕軍，殺劇辛。後七年，秦破殺趙將扈輒於武遂，斬首十萬。趙乃以李牧為大將軍，擊秦軍於宜安[224]，大破秦軍，走[225]秦將桓齮。封李牧為武安君。居三年，秦攻蕃吾[226]，李牧擊破秦軍，南距韓、魏。

趙王遷七年[227]，秦使王翦攻趙，趙使李牧、司馬尚禦之。秦多與趙王寵臣郭開金，為反間，言李牧、司馬尚欲反。趙王乃使趙蔥及齊將顏聚代李牧。李牧不受命[228]，趙使人微捕[229]得李牧，斬之。廢司馬尚[230]。後三月，王翦因急擊趙，大破殺趙蔥，虜趙王遷及其將顏聚，遂滅趙。

# 注釋

189. 代雁門：代地的雁門郡。代，今山西省大同市以北區域。

190. 備匈奴：防備匈奴。

191. 以便宜置吏：根據實際需要自主設置官吏。

192. 市租皆輸入莫府：市場交易的稅收都歸入李牧的帳下支配。莫府，即幕府，"莫"通"幕"。古代將帥出征時，辦公機構設在帳幕中，稱為幕府。後世地方最高的文武官員的官署也稱為幕府。

193. 為士卒費：作為養兵的費用。

194. 日擊數牛饗士：每天宰殺好幾頭牛犒勞士兵。

195. 謹：小心把守。

196. 多間諜：增加偵察敵情的人員。

197. 為約：發佈軍規。

198. 即入盜：一旦入侵。

199. 急入收保：迅速將各種物資收拾起來，撤入城堡。

200. 捕虜者：與匈奴兵戰鬥者。

201. 亦不亡失：也沒有什麼損失。

202. 雖趙邊兵亦以為吾將怯：即使是趙國的邊防士兵也以為自己的將軍膽子小。

203. 讓：責備。

204. 數不利：屢次失利。

205. 失亡多：損失慘重。

206. 邊不得田畜：邊境地區無法正常地耕作和放牧。

207. 固稱疾：堅持稱自己有病。

208. 乃復強起使將兵：一再勉強李牧復職帶兵。

209. 如前：依照以前的做法。

210. 具選車得千三百乘：備齊經過挑選的合格戰車一千三百輛。

211. 百金之士：裴駰《史記集解》引《管子》："能破敵擒將者賞百

金。”這裏指能衝鋒陷陣的勇士。

212. 彀者：善於射箭的人。彀，把弓拉滿。

213. 悉勒習戰：全部組織起來進行操練，使他們具備實戰的技能。

214. 大縱畜牧，人民滿野：大面積地在邊境放牧，滿田野都是人。這是吸引匈奴來犯的計策。

215. 詳北不勝：假裝敗走。

216. 以數千人委之：把數千人丟給匈奴。

217. 大率眾來入：大舉率軍入侵趙國邊境。

218. 多為奇陣：多採用出奇制勝的戰術。

219. 張左右翼擊之：從左右兩翼攻擊匈奴軍隊。

220. 襜襤：代北的草原部落。

221. 東胡：北方的遊牧民族之一，為鮮卑族前身，因在匈奴之東，故名東胡。

222. 林胡：北方的遊牧民族之一，活動於今陝西省榆林以北至內蒙古境內。

223. 趙悼襄王元年：公元前 244 年。

224. 宜安：今河北省石家莊市東南。

225. 走：趕跑。

226. 蕃吾：今河北省平山縣南。

227. 趙王遷七年：公元前 229 年。趙王遷，趙國最後一代（第十位）國君，趙悼襄王之子。

228. 不受命：不接受命令。

229. 微捕：暗中抓捕。

230. 廢司馬尚：撤銷司馬尚的職務。


太史公曰：知死必勇[231]，非死者難也[232]，處死者難[233]。方[234]藺相如引璧睨柱，及叱秦王左右，勢不過誅[235]，然士或怯懦而不敢發[236]。相如一奮其氣，威信敵國，退而讓頗，名重太山，其處智勇，可謂兼之矣！

## 注釋

231. 知死必勇：知道處於必死的境地，一定會變得勇敢。

232. 非死者難也：死並非難事。

233. 處死者難：怎樣面對和處理死才是難事。

234. 方：當其時。

235. 勢不過誅：當時的情況下，最多不過被殺而已。

236. 然士或怯懦而不敢發：但是一般的士人往往因為怯懦而失去了決斷的勇氣。

## 串講

本篇傳記實為戰國末期趙國名臣名將的合傳，它以廉頗事蹟為主線，中間穿插記述了藺相如、趙奢父子及李牧的主要事蹟。

藺相如是司馬遷本人所仰慕的歷史人物之一，因此在本篇傳記中，司馬遷在藺相如身上不惜重墨。文章首先從趙國得到和氏璧開始，由此引出藺相如。趙惠文王時得到楚國和氏璧，秦昭王表示願用十五座城交換寶玉，趙國隨即陷入兩難境地：秦國一向具有霸王強權，和氏璧轉給秦國無疑投石落海；直接回絕則懼怕落下口實招致秦國攻打。最後決定派一名使者回覆秦國，之後宦者令繆賢舉薦了其門客藺相如。

至秦國後，藺相如看出秦王果真沒有用城邑給趙國抵償的意圖，隨即機智地奪回和氏璧，要求秦王齋戒五日，以國禮迎取和氏璧。秦王愛寶心切，姑且應允。藺相如亦識破秦王居心，連夜派其隨從攜和氏璧從小路逃出，完璧歸趙。

傳記又敘述了藺相如的第二個故事：澠池之會。澠池會上，藺相如表現出極為剛烈的氣質。秦王惡意請趙王彈瑟相娛樂，當即令秦國史官將這一幕記入史冊。由此藺相如以牙還牙請秦王為趙王擊缶，遭拒後，相如以“五步之內，相如請得以頸血濺大王”相脅，秦王不得已而擊缶，使得澠池之會上趙國的尊嚴得以保全。

傳記的第三個故事是將相和。故事在彰顯藺相如心存高遠、以國家為重的高尚品格的同時，也表現出廉頗耿直豪爽善於自省的性格特點。司馬遷對廉頗的赫赫戰功和軍事才能一筆帶過而將其“負荊請罪”的章節作了細緻描寫，體現出司馬遷對名將勇於自省的品德的讚許和肯定。

廉頗晚年因不滿樂乘代替自己投至魏國。趙國危難之際，趙王派使者到大梁，最終因廉頗的仇人郭開的賄賂，使者謊報了實情，導致廉頗失去報效趙國的機會。廉頗最後來到楚國，惟英雄遲暮，寥寥功業，終老於壽春。

趙奢本是趙國徵收田租的官吏，在秉公收取平原君租稅的時候，得到平原君的賞識，推薦給了趙王。在閼與之戰中，趙奢首先以弱示秦，後又出奇兵擊敗秦軍，充分展現了趙奢的軍事才能。

趙孝成王六年（前260），趙軍與秦軍在長平對陣，那時趙奢已死，藺相如也已病危。趙王聽信謠言，派趙奢的兒子趙括接任廉頗，但趙括只是爛熟於紙上兵法，並無實戰經驗，又驕傲自滿，結果慘敗，趙國前後損失共四十五萬人，趙國元氣大傷。

趙國的最後一位名將李牧，曾堅守營壘多年，不與北方的匈奴開戰，雖無戰功，也無損失。後養足軍隊的好戰之氣，一舉大敗匈奴，此後十多年，匈奴不敢接近趙國邊境城鎮。之後李牧北伐燕國，西抗強秦，南抵韓魏，戰功顯赫。趙王遷七年（前229），李牧被冤殺，三個月後，趙國滅亡。

# 評析

司馬遷最善於以非常之事寫非常之人，精通文章去取之法。《廉頗藺相如列傳》在這方面極為精彩。

先看藺相如，完璧歸趙雖最能體現藺相如的大智大勇，但澠池之會一節卻最為鏗鏘。"五步之內，相如請得以頸血濺大王"，"請以秦之咸陽為趙王壽"，一一與秦相對，無半絲示弱之情。即使千載之後，我們懷想當時情境，都不禁為藺相如的凜然之氣所震懾，那股浩然之氣，令文章精神飛揚。這還不算，司馬遷隨後又拿出藺相如躲避廉頗一節，一石二鳥，既托出藺相如"先國家之急而後私仇"的胸懷大義，又將廉頗耿介又識大體的個性點破。

說實話，藺相如雖是司馬遷看重之人，但《廉頗藺相如列傳》寫得最出彩的卻是廉頗。司馬遷在廉頗身上用了很少的筆墨，卻取得了很好的效果，是收益最大的創造。其成功的原因就在於司馬遷選擇了非常之事畫出了個非常的廉頗。名將廉頗不會缺少攻城野戰之功，但司馬遷僅僅是一筆帶過，因為攻城野戰畢竟是所有名將都有的常事，寫出來也無法將廉頗與他將分開。司馬遷描寫的以下幾個細節將一個鮮活得有一點可愛的廉頗，從諸名將中區分了出來：在澠池之會前，廉頗與趙王訣別，提出如果趙王沒有按時回國，請立太子以絕秦望，這種話沒有大膽識誰能說得出來？接着是負荊請罪，攻打樂毅，示用趙使，都有一些可愛的情態在裏面，異常生動。而晚年感歎"我思用趙人"，則是老將的異鄉遲暮之悲了。

趙奢解閼與之圍，李牧抗匈奴，一個示弱，一個死守，也與一般戰事不同，可見本篇傳記幾乎通篇非常之事，名將風采因此而躍然紙上。

另外，本篇筆法也很特別，一是將藺、廉、趙、李的命運與趙國的國運聯繫起來，這些名臣名將的歷史與趙國歷史在本篇中結合得非常緊密，可以說是休戚相關。隨着廉頗老去，李牧冤死，太史公在文章的末尾也敍及了趙國的滅亡，令人唏噓不已。二是該篇與一般的合傳不同，不是逐一敍述，而是以廉頗作為鉤連，一個個地將其他幾個傳記引出來，後世《水滸傳》人物出場的筆法像極了該篇，不知道施耐庵是不是從《廉頗藺相如列傳》學來的技巧。

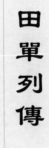

田單列傳

田單者，齊諸田疏屬[1]也。湣王[2]時，單為臨菑市掾[3]，不見知[4]。及燕使樂毅伐破齊，齊湣王出奔，已而保莒城[5]。燕師長驅平齊，而田單走安平[6]，令其宗人盡斷其車軸末而傅鐵籠[7]。已而燕軍攻安平，城壞，齊人走，爭涂[8]，以轊[9]折車敗，為燕所虜，惟田單宗人以鐵籠故得脫，東保即墨[10]。燕既盡降齊城，惟獨莒、即墨不下。燕軍聞齊王在莒，併兵攻之。淖齒[11]既殺湣王於莒，因堅守，距[12]燕軍，數年不下。燕引兵東圍即墨，即墨大夫[13]出與戰，敗死。城中相與推田單，曰：“安平之戰，田單宗人以鐵籠得全，習兵。”立以為將軍，以即墨距燕。

頃之，燕昭王[14]卒，惠王[15]立，與樂毅有隙[16]。田單聞之，乃縱反間[17]於燕，宣言曰：“齊王已死，城之不拔[18]者二耳。樂毅畏誅而不敢歸，以伐齊為名，實欲連兵南面而王齊[19]。齊人未附，故且緩攻即墨以待其事。齊人所懼，惟恐他將之來，即墨殘[20]矣。”燕王以為然，使騎劫代樂毅。

樂毅因歸趙，燕人士卒忿。而田單乃令城中人食必祭其先祖於庭，飛鳥悉翔舞城中下食。燕人怪之。田單因宣言曰：“神來下教我。”乃令城中人曰：“當有神人為我師。”有一卒曰：“臣可以為師乎？”因反[21]走。田單乃起，引還，東鄉坐[22]，師事之[23]。卒曰：“臣欺君，誠無能也。”田單曰：“子勿言也！”因師之。每出約束[24]，必稱神師。乃宣言曰：「吾惟懼燕軍之劓[25]所得齊卒，置之前行，與我戰，即墨敗矣。」燕人聞之，如其言。城中人見齊諸降者盡劓，皆怒，堅守，惟恐見得[26]。單又縱反間曰：「吾懼燕人掘吾城外塚墓，僇[27]先人，可為寒心。」燕軍盡掘壟墓[28]，燒死人。即墨人從城上望見，皆涕泣，俱欲出戰，怒自十倍。

田單知士卒之可用，乃身操版插[29]，與士卒分功[30]，妻妾編於行伍[31]之間，盡散飲食饗[32]士。令甲卒皆伏，使老弱女子乘城，遣使約降於燕，燕軍皆呼萬歲。田單又收民金，得千溢[33]，令即墨富豪遺燕將，曰：「即墨即降，願無虜掠吾族家妻妾，令安堵[34]。」燕將大喜，許之。燕軍由此益懈。

田單乃收城中得千餘牛，為絳繒衣[35]，畫以五彩龍文，束兵刃於其角，而灌脂束葦於尾，燒其端。鑿城數十穴，夜縱牛，壯士五千人隨其後。牛尾熱，怒而奔燕軍，燕軍夜大驚。牛尾炬火[36]光明炫耀，燕軍視之皆龍文，所觸盡死傷。五千人因銜枚[37]擊之，而城中鼓譟從之，老弱皆擊銅器為聲，聲動天地。燕軍大駭，敗走。齊人遂夷殺[38]其將騎劫。燕軍擾亂奔走，齊人追亡逐北[39]，所過城邑皆畔燕而歸田單，兵日益多，乘勝，燕日敗亡，卒至河上，而齊七十餘城皆復為齊。乃迎襄王[40]於莒，入臨菑而聽政。

襄王封田單，號曰安平君。

太史公曰：兵以正合，以奇勝[41]。善之者，出奇無窮。奇正還相生[42]，如環之無端。夫始如處女，適人開戶；後如脫兔，適不及距[43]，其田單之謂[44]邪！

## 注釋

1. 諸田疏屬：諸田，齊王田氏宗族的各個分支，因為當時齊國的田姓貴族很多，所以說“諸”；疏屬，血緣比較遠的親屬。

2. 湣王：名田地，公元前 323 −公元前 284 年在位。

3. 臨菑市掾：臨菑，齊國都城，在今天山東省臨淄市的北部；市掾，管理市場的官吏，掾，官吏的統稱。

4. 見知：被人了解，受到重用。

5. 保莒城：保，依靠，據守；莒城，齊國一個很大的城邑，即今山東省莒縣。

6. 安平：齊國城邑，在今山東省臨淄市東北部。

7. 盡斷其車軸末而傅鐵籠：傅鐵籠，用鐵箍緊緊套住。這句話的意思是斬斷車軸兩端過於突出的部分，在上面包上鐵箍。

8. 爭涂：搶路（逃走）。涂，通“途”。

9. 轊：車軸末端。

10. 即墨：齊國城邑，在今山東省平度縣東南。

11. 淖齒：楚國將領。

12. 距：通“拒”，抗拒。

13. 即墨大夫：即即墨的行政長官，相當於以後的縣令。

14. 燕昭王：戰國時燕國最有作為的國君，公元前 311 −公元前 279 年在位。

15. 惠王：昭王之子，公元前 278 −公元前 272 年在位。

16. 有隙：在感情上有不和。隙，裂痕、矛盾。

17. 縱反間：縱，發，放，行使；反間，離間敵方內部，使其落入自己的圈套而取勝。

18. 拔：攻下。

19. 連兵南面而王齊：連兵，與齊國即墨、莒城的守軍聯合；南面，古以坐北朝南為尊位，故天子諸侯見群臣，或卿大夫見僚屬，皆南面而坐，故後又泛指帝王或大臣的統治為南面；王齊，在齊國稱王。王，作動詞使用。

20. 殘：破。

21. 反：同"返"，返回。

22. 東鄉坐：讓此卒東向而坐。鄉，同"向"。

23. 師事之：像侍奉神明一樣侍奉他。

24. 約束：章程，條例。

25. 劓：割去鼻子，古代五刑之一。

26. 見得：被燕國俘虜。

27. 僇：同"戮"，羞辱。

28. 壟墓：墳墓。壟，墳也。

29. 版插：築土牆時夾土的工具和挖土的工具。

30. 功：同"工"，工程，工作。

31. 行伍：軍隊的編制，這裏指的是軍隊。古時軍隊中五人為伍，二十五人為行。

32. 饗：用酒食招待人。

33. 溢：同"鎰"，古代重量單位，二十兩為一鎰。

34. 安堵：安居。

35. 絳繒衣：紅色絲織品。繒，絹帛的通稱。.

36. 炬火：火把。

37. 銜枚：枚的形狀如同筷子，行軍時橫銜口中，以禁止喧嘩，古時軍中常用。

38. 夷殺：如言"斬殺"。夷，平也，這裏也是殺的意思。

39. 追亡逐北：追擊敗逃的敵人。亡，逃跑；北，敗逃。

40. 襄王：湣王之子，公元前 283 － 公元前 265 年在位。
41. 兵以正合，以奇勝：以正兵與敵人交鋒，以奇兵戰勝敵人。合，合戰，指正面交鋒；奇，奇詐，指出奇制勝。
42. 相生：相輔相成。
43. 始如處女，適人開戶；後如脫兔，適不及距：意思是首先示弱於人，使之懈怠，然後突然使強，讓人無法抵抗。適：通"敵"，敵人；脫兔，脫網的兔子，意為動作之迅速；距，同"拒"，抵擋。
44. 謂：做法。


　　初，淖齒之殺湣王也，莒人求[45]湣王子法章，得之太史嫩[46]之家，為人灌園。嫩女憐而善遇之。後法章私以情[47]告女，女遂與通[48]。及莒人共立法章為齊王，以莒距燕，而太史氏女遂為后，所謂"君王后"也。

　　燕之初入齊，聞畫邑[49]人王蠋賢，令軍中曰"環畫邑三十里無入"，以王蠋之故。已而使人謂蠋曰："齊人多高子之義，吾以子為將，封子萬家。"蠋固謝。燕人曰："子不聽，吾引三軍而屠畫邑。"王蠋曰："忠臣不事二君，貞女不更[50]二夫。齊王不聽吾諫，故退而耕於野。國既破亡，吾不能存[51]；今又劫[52]之以兵為君將，是助桀為暴也。與其生而無義，固不如烹[53]！"遂經[54]其頸於樹枝，自奮絕脰[55]而死。齊亡大夫[56]聞之，曰："王蠋，布衣[57]也，義不北面[58]於燕，況在位食祿者[59]乎！"乃相聚如[60]莒，求諸子，立為襄王。

## 注釋

45. 求：尋找。

46. 太史嬓：人名，姓太史，名嬓。

47. 情：真實情況。

48. 通：私交。

49. 畫邑：齊邑名，在今山東省臨淄市西北。

50. 更：改嫁。

51. 存：使齊國得以保全。

52. 劫：控制，威脅。

53. 烹：把人用鼎鍋煮死，是古代的一種酷刑。

54. 經：繫。

55. 自奮絕脰：奮，跳蕩，聳動；絕脰，勒斷脖子，脰，脖頸。

56. 亡大夫：逃亡在外的齊國大夫。

57. 布衣：指平民百姓。

58. 北面：指臣服於人。古時君王皆向南坐，群臣皆向北朝拜，因此以北面指向人稱臣。

59. 食祿者：拿國家俸祿的人，即當官的人。

60. 如：往，到。

## 串講

　　這是一篇屬於齊國大將田單一個人的列傳，記載了田單巧用謀略，出奇制勝，大敗燕軍於即墨，並乘勢收復齊國失地的過程。

　　田單是齊國田氏的遠方親屬，開始時只在都城臨淄做小官，不被別人熟知。後燕國大將樂毅攻破齊國，田單在逃亡中，讓同族人用鐵箍包上車軸，所以在燕國進攻安平的時候沒有因為車子壞而被俘虜，得以退至即墨堅守。此時燕國已攻下除莒城和即墨的所有齊國領土。燕國知道齊王躲在莒城，就集中兵力攻打那裏，燕將淖齒殺了齊湣王後，再次調集兵力攻打即墨，即墨的守將不敵，戰敗陣亡。即墨的軍民共同推舉田單做首領，原因在於其在安平一戰中以鐵包車軸，安全突圍，謀略出眾。由此田單帶領眾人據守即墨，抵抗燕軍。

不久，燕昭王去世，其子惠王即位。田單利用惠王和樂毅的嫌隙，巧施離間計使惠王將樂毅由前線調離至趙國，又採用"神師計"消除眾人恐懼和動搖的心理，誤導燕軍虐待齊國戰俘、侮辱齊人祖先，刺激齊人的士氣。

田單親自上陣，與士兵們一起修築工事；將其妻妾編入軍隊；獻出食物犒勞兵士；命令披甲的戰士都躲藏起來，讓老弱和婦女上城防守；同時詐降燕軍，派富豪請求燕軍的保護，由此麻痺敵人。

齊軍乘着夜色，收集了一千餘頭牛，給它們披上紅絲絹，上面畫滿龍紋；將刀子捆於牛角之上；將浸滿油的蘆葦綁於牛尾之上，後將之點燃，於城上鑿幾十個洞，將牛從洞中趕出，再派五千精兵跟於火牛之後。牛尾燃燒後，牛群受驚，不顧一切地衝向燕師，燕人毫無防備，驚惶失措，死傷無數。敗潰中，燕將被齊軍所殺，齊軍乘勝追擊，一舉收復了七十多座城池。田單遂去莒城迎接齊襄王回臨淄來主政，襄王因而封其為安平君。文後還補充了這次戰爭期間的兩位奇人——君王后和王蠋的故事。

# 評析

清人吳見思稱"田單是戰國一奇人，火牛是戰國一奇事，遂成太史公一篇奇文。其聲色氣勢，如風車雨馬，拉雜而來，幾令人棄書下席"。司馬遷喜奇，《史記》中也多涉奇人奇事，但遍觀全書，《田單列傳》卻是《史記》中頭一篇奇文。

文章一入筆就是一件奇事，田單"令其宗人盡斷其車軸末而傅鐵籠"，初令人不知所云，稍後才知是救命之術。這段奇思只是引子，小作渲染，已有幾分傳奇的味道了。隨即，文章轉入對田單破燕的敘述。當時的齊國只剩兩座城池，被圍多年，能夠起死回生，當然是一件奇跡。因此整篇傳記幾乎就是對這一件奇跡的記述，除與此次戰爭有關的小引外，沒有涉及田單的其他事蹟，田單憑此一事就足以彪炳千秋了，要其他蛇足何用？司馬遷深於文章去取之道，以一奇事傳一奇人足矣。

再者，文章寫田單破燕這一奇事筆法也頗為獨特，恰如張弓射箭，一層層力道用上去，直至弓滿弦發：離間燕國君臣是第一道力，空設神師是第二道力，誤導燕軍是第三道力，身先士卒是第四道力，即墨詐降是第五道力，到此，即墨小城已是滿月之弓，一觸即發。然後司馬遷拈出火牛奇陣，搭弓上箭，奇事因此而出，奇跡因此而創，田單也因此而生。傳記妙在全篇造勢，先極言齊之敗落，又細數田單之計謀，至火牛一陣，才能如小李飛刀，一招致命，奇幻無比，叫人棄書下席，輾轉良久。

文末所補記的兩則軼事，似脫出文章之外，但細細讀來，卻又與列傳的奇幻相應，筆調也融合無間，竟有無窮的餘韻產生，綿緲無跡。

刺客列傳

曹沫[1]者，魯人也，以勇力事魯莊公[2]。莊公好力[3]。曹沫為魯將、與齊戰，三敗北[4]。魯莊公懼，乃獻遂邑[5]之地以和。猶復以為將。

曹沫故事畫像

齊桓公許與魯會於柯而盟[6]。桓公與莊公既盟於壇上，曹沫執匕首劫[7]齊桓公，桓公左右莫敢動，而問曰："子將何欲？"曹沫曰："齊強魯弱，而大國侵魯亦甚矣。今魯城壞即壓齊境[8]，君其圖之。"桓公乃許盡歸魯之侵地。既已言，曹沫投其匕首，下壇，北面就群臣之位，顏色[9]不變，辭令如故[10]。桓公怒，欲倍[11]其約。管仲[12]曰："不可。夫貪小利以自快，棄信於諸侯，失天下之援，不如與之。"於是桓公乃遂割魯侵地[13]，曹沫三戰所亡地[14]盡復予魯。其後百六十有七年而吳有[15]專諸之事。

# 注釋

1. 曹沫：也稱曹劌，春秋時魯國人，曾輔佐魯莊公打敗齊軍，見《左傳·莊公十年》。

2. 魯莊公：名姬同，公元前693－公元前662年在位。

3. 好力：好武，好鬥。

4. 敗北：戰敗逃跑。北，敗了往回逃跑。

5. 遂邑：古國名，在今山東省肥城縣南，被齊所滅。

6. 齊桓公許與魯會於柯而盟：齊桓公，名小白，公元前685－公元前643年在位，是春秋五霸之一，也是春秋時最有作為的君主之一；柯，齊國的一個城，在今山東省陽谷縣東北。盟，會盟定約，齊魯柯之盟發生在魯莊公十三年，即公元前682年。

7. 劫：挾持，威脅。

8. 魯城壞即壓齊境：意思是你們侵略魯國，已經深入到都城的邊緣；假如魯國的都城倒塌，就會壓到齊國的邊境。

9. 顏色：臉色。

10. 辭令如故：像平常一樣談吐從容。

11. 倍：通“背”，背棄，違背。

12. 管仲：春秋時齊國著名政治家，曾輔佐齊桓公成就霸業。

13. 割魯侵地：分出從魯國佔領的土地。

14. 所亡地：丟失的國土。亡，丟失，失去。

15. 有：又。

　　專諸者，吳堂邑[16]人也。伍子胥之亡楚而如吳[17]也，知專諸之能。伍子胥既見吳王僚[18]，說[19]以伐楚之利。吳公子光[20]曰：“彼伍員父兄皆死於楚而員言伐楚，欲自為報私仇也，非能為吳。”吳王乃止。伍子胥知公子光之欲殺吳王僚，乃曰：“彼光將有內志[21]，未可說以外事[22]。”

專諸故事畫像

乃進[23]專諸於公子光。

　　光之父曰吳王諸樊[24]。諸樊弟三人：次曰餘祭[25]，次曰夷眛[26]，次曰季子札。諸樊知季子札賢而不立太子，以次傳三弟[27]，欲卒致國於季子札[28]。諸樊既死，傳餘祭。餘祭死，傳夷眛。夷眛死，當傳季子札；季子札逃不肯立，吳人乃立夷眛之子僚為王。公子光曰：“使以兄弟次邪，季子當立；必以子乎，則光真適嗣[29]，當立。”故嘗陰養謀臣[30]以求立。

　　光既得專諸，善客待之。九年[31]而楚平王死。春，吳王僚欲因楚喪，使其二弟公子蓋餘、屬庸將兵圍楚之灊；使延陵季子[32]於晉，以觀諸侯之變[33]。楚發兵絕吳將蓋餘、屬庸路，吳兵不得還。於是公子光謂專諸曰：“此時不可失，不求何獲[34]！且光真王嗣，當立，季子雖來，不吾廢也。"專諸曰:"王僚可殺也。母老子弱,而兩弟將兵伐楚,楚絕其後。方今吳外困於楚,而內空無骨鯁之臣[35],是無如我何[36]。"公子光頓首[37]曰:"光之身,子之身也[38]。"

四月丙子,光伏甲士於窟室[39]中,而具[40]酒請王僚。王僚使兵陳自宮至光之家,門戶階陛左右,皆王僚之親戚[41]也。夾立侍,皆持長鈹[42]。酒既酣,公子光詳為足疾[43],入窟室中,使專諸置匕首魚炙之腹中而進之[44]。既至王前,專諸擘[45]魚,因以匕首刺王僚,王僚立死。左右亦殺專諸,王人[46]擾亂。公子光出其伏甲以攻王僚之徒,盡滅之,遂自立為王,是為闔閭[47],闔閭乃封專諸之子以為上卿。

其後七十餘年而晉有豫讓之事。

## 注釋

16. 堂邑:今江蘇省六合縣北。
17. 伍子胥之亡楚而如吳:如,到……去。伍子胥亡楚如吳見卷四十《楚世家》、卷六十六《伍子胥列傳》。
18. 吳王僚:吳王餘昧之子,公元前526-公元前515年在位。
19. 說:勸說,說服。
20. 公子光:吳王僚的堂兄,吳王諸樊之子。
21. 內志:想在國內奪取王位。志,志向,意圖。
22. 外事:指伐楚等對外用兵之事。
23. 進:推薦。
24. 諸樊:公元前560-公元前548年在位。
25. 餘祭:公元前547-公元前531年在位。

26. 夷昧：公元前 530－公元前 527 年在位。

27. 以次傳三弟：依照兄弟次序把王位傳遞下去。

28. 欲卒致國於季子札：意思是想最終把國君的位子傳給季子札。

29. 適嗣：正妻生的長子。適，同“嫡”。

30. 嘗陰養謀臣：嘗，同“常”；陰養，秘密地供養。

31. 九年：得專諸以後的第九年。

32. 延陵季子：即季子劄。因其封地在延陵（今江蘇省常州市），故
　　稱。

33. 變：變化，動態。

34. 不求何獲：意謂不爭取（時機）就不會得到。

35. 骨鯁之臣：正直敢言的忠臣。鯁，通“骾”。

36. 無如何：對我們沒有辦法。

37. 頓首：以頭叩地。

38. 光之身，子之身也：意思是你家裏的事一概由我負責，我可以代替
　　你做。

39. 窟室：地下室。

40. 具：準備，備辦。

41. 親戚：指親信，親近之人。

42. 鈹：長矛。一說兩邊都有鋒刃的刀。

43. 詳為足疾：假裝腳有毛病。詳，通“佯”，假裝。

44. 置匕首魚炙之腹中而進之：魚炙，烤熟的整條魚；進，獻上。

45. 擘：拆，掰開。

46. 王人：王僚的隨從。

47. 闔閭：吳國諸侯，公元前 514－公元前 495 年在位。


　　豫讓者，晉人也，故嘗事范氏及中行氏[48]，而無所知
名。去而事智伯[49]，智伯甚尊寵之。及智伯伐趙襄子，趙

襄子與韓、魏合謀滅智伯，滅智伯之後而三分其地。趙襄子最怨[50]智伯，漆其頭以為飲器[51]。豫讓遁逃山中，曰："嗟乎！士為知己者死，女為說己者容[52]。今智伯知我，我必為報仇而死，以報智伯，則吾魂魄不愧矣[53]。"乃變名姓為刑人[54]，入宮塗廁[55]，中挾匕首，欲以刺襄子。襄子如廁，心動，執問塗廁之刑人，則豫讓，內持刀兵，曰："欲為智伯報仇！"左右欲誅之。襄子曰："彼義人也，吾謹避之耳。且智伯亡無後，而其臣欲為報仇，此天下之賢人也。"卒釋去之[56]。

居頃之，豫讓又漆身為厲[57]，吞炭為啞[58]，使形狀不可知，行乞於市。其妻不識也。行見其友，其友識之，曰："汝非豫讓邪？"曰："我是也。"其友為泣曰："以子之才，委質[59]而臣事襄子，襄子必近幸[60]子。近幸子，乃為所欲，顧不易邪[61]？何乃殘身苦形[62]，欲以求報襄子，不亦難乎！"豫讓曰："既委質臣事人，而求殺之，是懷二心以事其君也。且吾所為者[63]極難耳！然所以為此者，將以愧天下後世之為人臣懷二心以事其君者也。"

既去，頃之，襄子當出，豫讓伏於所當過之橋下。襄子至橋，馬驚，襄子曰："此必是豫讓也。"使人問之，果豫讓也。於是襄子乃數[64]豫讓曰："子不嘗事范、中行氏乎？智伯盡滅之，而子不為報仇，而反委質臣於智伯。智伯亦已死矣，而子獨何以為之報仇之深也？"豫讓曰："臣事范、中行氏，范、中行氏皆眾人遇我[65]，我故眾人報之[66]。至於智伯，國士遇我[67]，我故國士報之。"襄子喟然歎息而泣曰："嗟乎豫子！子之為智伯，名既成矣，而寡人赦子，亦已足矣[68]。子其自為計，寡人不復釋子！"使兵圍之。

豫讓曰："臣聞明主不掩人之美，而忠臣有死名之義[69]。前君已寬赦臣，天下莫不稱君之賢，今日之事，臣固伏誅[70]，然願請君之衣而擊之，焉[71]以致報仇之意，則雖死不恨。非所敢望也，敢佈腹心[72]！"於是襄子大義之，乃使使[73]持衣與豫讓。豫讓拔劍三躍而擊之，曰："吾可以下報智伯矣！"遂伏劍自殺。死之日，趙國志士聞之，皆為涕泣。

其後四十餘年而軹有聶政之事。

## 注釋

48. 范氏及中行氏：范氏，指范吉射，是士會的後代。士會被封於范地，故以范為其家族之姓；中行氏指荀寅，荀林父的後代，荀林父曾為中行將，故其家族以中行為姓。春秋末，晉國朝政被智、趙、韓、魏、范、中行六家把持，史稱六卿專晉政。

49. 智伯：指荀瑤，荀首的後代，與荀林父是兄弟，荀林父後代稱中行氏，荀首的後代稱智氏。智氏在六卿中權勢最大。

50. 怨：恨，仇恨。

51. 漆其頭以為飲器：把他的頭蓋骨塗上漆作為飲酒的器皿。

52. 士為知己者死，女為說己者容：這兩句是古成語，說，同"悅"，喜歡，愛慕；容，梳妝打扮。

53. 今智伯知我，我必為報仇而死，以報智伯，則吾魂魄不愧矣：這幾句是說，智伯是我的知己，當我給智伯報仇之後，即使死了，魂魄也沒什麼可慚愧的了。以，同"已"。

54. 刑人：受到刑罰的人。

55. 塗廁：到趙襄子的宮中修整廁所。塗，以泥抹牆。

56. 卒釋去之：士卒把豫讓放走了。釋，放；去，離開。

57. 漆身為厲：用漆塗在身上，使肌膚腫爛，像患癩病。厲，同"癘"，古又同"癩"，惡瘡。

58. 吞炭為啞：吞炭使聲音變得嘶啞。

59. 委質：初次拜見尊長時送的禮物。這裏是託身的意思。

60. 近幸：親近寵愛。

61. 顧不易邪：難道還不容易嗎？

62. 殘身苦形：摧殘身體，醜化容貌。

63. 所為者：指漆身吞炭之事。

64. 數：列舉罪狀而責之。

65. 眾人遇我：把我當成一般人對待。

66. 眾人報之：像一般人那樣報答。

67. 國士遇我：像對待國士那樣來對待我。

68. 寡人赦子，亦已足矣：赦，寬恕；足，到極限了。

69. 忠臣有死名之義：這句話的意思是，忠臣有為某種名聲而死的義務。

70. 伏誅：受到應得的懲罰。誅，殺死。

71. 焉：因之。

72. 敢佈腹心：敢於講出心裏話。

73. 使使：派人。


聶政者，軹[74]深井里人也。殺人避仇，與母、姊如齊，以屠為事。

久之，濮陽[75]嚴仲子事韓哀侯，與韓相俠累有郤[76]。嚴仲子恐誅，亡去，遊[77]求人可以報俠累者。至齊，齊人或言聶政勇敢士也，避仇隱於屠者之間。嚴仲子至門請[78]，數反[79]，然後具酒自暢[80]聶政母前。酒酣，嚴仲子奉黃金百溢[81]，前為聶政母壽[82]。聶政驚怪其厚，固謝[83]嚴仲子。嚴仲子固進，而聶政謝曰：「臣幸有老母，家貧，客遊[84]以為狗屠，可以旦夕得甘毳[85]以養親。親供養備，不敢當仲子之賜。」嚴仲子辟[86]人，因[87]為聶政言曰：「臣有仇，而行遊諸侯眾矣[88]；然至齊，竊聞足下義甚高，故進百金者，將用為大人粗糲之費[89]，得以交足下之歡，豈敢以有求望邪！」聶政曰：「臣所以降志辱身[90]居市井屠者，徒幸以養老母[91]；老母在，政身未敢以許人也。」嚴仲子固讓，聶政竟不肯受也。然嚴仲子卒備賓主之禮而去。

久之，聶政母死。既已葬，除服[92]，聶政曰：「嗟乎！政乃市井之人，鼓刀以屠；而嚴仲子乃諸侯之卿相也，不遠千里，枉[93]車騎而交臣。臣之所以待之，至淺鮮矣，未有大功可以稱者[94]，而嚴仲子奉百金為親壽，我雖不受，然是者徒[95]深知政也。夫賢者以感忿睚眥[96]之意而親信窮僻之人，而政獨安得嘿[97]然而已乎！且前日要[98]政，政徒以老母！老母今以天年終[99]，政將為知己者用。」乃遂西至濮陽，見嚴仲子曰：「前日所以不許嚴仲子者，徒以親在；今不幸而母以天年終。仲子所欲報仇者為誰？請得從事[100]焉！」嚴仲子具告曰：「臣之仇韓相俠累，俠累又韓君之季父也，宗族盛多，居處兵衛甚設，臣欲使人刺之，終莫能就。今足下幸而不棄，請益其車騎壯士可為足下輔翼[101]者。」聶政曰：「韓之與衛，相去中間不甚遠，今殺人之相，相又國君之親，此其勢不可以多人，多人不能無生得失[102]，生得失則語泄，語泄是韓舉國而與仲子為仇，豈不殆[103]哉！」遂謝車騎人徒，聶政乃辭獨行。

杖[104]劍至韓，韓相俠累方坐府上，持兵戟而衛侍者甚眾。聶政直入，上階刺殺俠累，左右大亂。聶政大呼，所擊殺者數十人，因自皮面決眼[105]，自屠出腸，遂以死。

韓取聶政屍暴於市[106]，購問[107]莫知誰子。於是韓縣[108]購之，有能言殺相俠累者予千金。久之莫知也。

政姊榮聞人有刺殺韓相者，賊不得[109]，國不知其名姓，暴其屍而懸之千金，乃於邑[110]曰：「其[111]是吾弟與？嗟乎，嚴仲子知吾弟！」立起，如韓，之市，而死者果政也，伏屍哭極哀，曰：「是軹深井裏所謂聶政者也。」市行者諸眾人皆曰：「此人暴虐[112]吾國相，王縣購其名姓千金，夫人不聞與？何敢來識之也？」榮應之曰：「聞之。然政所以蒙污辱自棄於市販[113]之間者，為老母幸無恙[114]，妾未嫁也。親既以天年下世，妾已嫁夫，嚴仲子乃察舉[115]吾弟困汙之中而交之，澤厚矣，可奈何[116]！士固為知己者死，今乃以妾尚在之故，重自刑以絕從[117]，妾其奈何畏歿[118]身之誅，終滅賢弟之名！"
大驚韓市人。乃大呼天者三，卒於邑悲哀而死政之旁。

　　晉、楚、齊、衛聞之，皆曰："非獨政能也，乃其姊
亦烈女也。鄉使政誠知其姊無濡忍之志[119]，不重暴骸之
難[120]，必絕險千里以列其名[121]，姊弟俱僇[122]於韓市者，
亦未必敢以身許嚴仲子也。嚴仲子亦可謂知人能得士
矣！"

　　其後二百二十餘年秦有荊軻之事。

# 注釋

74. 軹：魏城邑名，在今河南省濟源市東南。
75. 濮陽：衛都城，在今河南省濮陽市西南。
76. 郤：空隙，裂縫。比喻感情上產生的裂痕。有郤，有仇。
77. 遊：四處周遊。
78. 請：請見，求見。
79. 數反：多次往返拜訪。反，同 "返"。返回。
80. 暢：敬酒。《戰國策》作 "觴"。
81. 溢：即 "鎰"，古代重量單位。為二十兩，一說二十四兩。
82. 壽：祝壽，這裏指送人禮物。
83. 謝：推辭，拒絕。
84. 客遊：在外四處漂泊，指在齊避禍。
85. 甘毳：甜美的食物。毳，通 "脆"。
86. 辟：同 "避"。
87. 因：於是，藉機。
88. 而行遊諸侯眾矣：這句話的意思是，我曾經到各個國家找過很多
　　人，但沒有遇到合適的。

89. 將用為大人粗糲之費：大人，長輩，對別人父母的敬稱。粗糲：粗糙的糧食，謙詞。

90. 降志辱身：使心志卑下，屈辱身份。

91. 幸以養老母：以奉養母親為幸事。

92. 除服：三年喪服期滿。

93. 枉：委屈。

94. 臣之所以待之，至淺鮮矣，未有大功可以稱者：這三句的意思是，我對待大人卻很淺薄，沒什麼大的功勞和人家對我的恩情相比。鮮，少，稀少；稱，相比。

95. 徒：獨，特別。

96. 睚眥：發怒時瞪眼睛，藉指小的仇恨。這裏指嚴仲子的某種個人恩怨。

97. 嘿：通“默”，沉默。

98. 要：同“邀”。

99. 以天年終：終其天年而死。

100. 從事：辦理這件事。

101. 輔翼：助手，輔助。

102. 得失：偏義複詞，指發生失誤。

103. 殆：危險。

104. 杖：持，攜帶。

105. 皮面決眼：割破面皮，挖出眼珠。

106. 暴於市：在大街上暴屍。

107. 購問：懸賞詢問。

108. 縣：同“懸”。

109. 賊不得：指不知道兇手的姓名。

110. 於邑：同“嗚咽”，哭泣。

111. 其：大概。

112. 暴虐：指殺害。

113. 蒙污辱自棄於市販：承受羞辱，不惜混在市井商販的人中間。

114. 無恙：平安無事。恙，病。

115. 察舉：賞識選擇。

116. 澤厚矣，可奈何：這句話的意思是，嚴仲子對我弟弟的恩情太深了，我弟弟還能怎樣呢！

117. 重自刑以絕從：深深地毀壞自己的面容肢體，使人不能辨認，以免牽連別人。從，牽連治罪。一說通 "蹤" ，蹤跡線索。

118. 歿：死。

119. 鄉使政誠知其姊無濡忍之志：鄉使，從前假使；濡忍，忍耐。

120. 不重暴骸之難：不重，不顧惜；暴骸，露屍於外，指被殺。

121. 必絕險千里以列其名：絕險，穿過艱難險阻；列，顯露，佈陳。

122. 僇：通 "戮" ，殺戮。


　　荊軻者，衛人也，其先[123]乃齊人，徙於衛，衛人謂之慶卿[124]。而之燕，燕人謂之荊卿。荊軻好讀書擊劍，以術說衛元君[125]，衛元君不用。其後秦伐魏，置東郡，徙衛元君之支屬於野王。

荊軻刺秦王故事畫像

荊軻嘗遊過榆次[126]，與蓋聶論劍[127]，蓋聶怒而目[128]之。荊軻出，人或言復召荊卿。蓋聶曰：“曩者吾與論劍有不稱者[129]，吾目之；試往，是宜去，不敢留。”使使往之主人[130]，荊卿則已駕而去[131]榆次矣。使者還報，蓋聶曰：“固去也，吾曩者目攝[132]之！”

荊軻遊於邯鄲，魯句踐與荊軻博[133]，爭道[134]，魯句踐怒而叱之，荊軻嘿[135]而逃去，遂不復會。

荊軻既至燕，愛燕之狗屠及善擊筑[136]者高漸離。荊軻嗜酒，日與狗屠及高漸離飲於燕市，酒酣以往，高漸離擊筑，荊軻和而歌於市中，相樂也，已而相泣，旁若無人者。荊軻雖遊於酒人乎，然其為人沉深[137]好書；其所遊諸侯，盡與其賢豪長者相結[138]。其之燕，燕之處士[139]田光先生亦善待之，知其非庸人也。

居頃之，會燕太子丹質秦[140]亡歸燕。燕太子丹者，故嘗質於趙，而秦王政生於趙，其少時與丹歡。及政立為秦王，而丹質於秦。秦王之遇燕太子丹不善，故丹怨而亡歸。歸而求為報秦王者，國小，力不能。其後秦日出兵山東以伐齊、楚、三晉[141]，稍蠶食諸侯[142]，且至於燕[143]，燕君臣皆恐禍之至。太子丹患之，問其傅[144]鞠武。武對曰：“秦地遍天下，威脅韓、魏、趙氏，北有甘泉、谷口[145]之固，南有涇、渭之沃，擅巴[146]、漢之饒，右隴、蜀之山，左關、殽之險，民眾而士厲[147]，兵革[148]有餘。意有所出[149]，則長城之南，易水以北[150]，未有所定也[151]。奈何以見陵[152]之怨，欲批其逆鱗[153]哉！”丹曰：“然則何由？”對曰：“請入圖之。”

　　居有間[154]，秦將樊於期得罪於秦王，亡之燕，太子丹受而舍[155]之。鞠武諫曰：“不可。夫以秦王之暴而積怒於燕，足為寒心[156]，又況聞樊將軍之所在乎？是謂‘委肉當餓虎之蹊[157]’也，禍必不振[158]矣！雖有管、晏[159]，不能為之謀也。願太子疾遣樊將軍入匈奴以滅口[160]。請西約三晉，南連齊、楚，北購[161]於單于，其後乃可圖也。”太子曰：“太傅之計，曠日彌久，心惽然[162]，恐不能須臾。且非獨於此也，夫樊將軍窮困於天下，歸身於丹，丹終不以迫於強秦而棄所哀憐之交，置之匈奴，是固丹命卒之時也。願太傅更慮之。”鞠武曰：“夫行危欲求安，造禍而求福，計淺而怨深，連結一人之後交[163]，不顧國家之大害，此所謂‘資怨而助禍[164]’矣。夫以鴻毛燎於爐炭之上，必無事矣。且以雕鷙之秦，行怨暴之怒，豈足道哉！燕有田光先生，其為人智深而勇沉，可與謀。”太子曰：“願因太傅而得交於田先生，可乎？”鞠武曰：“敬諾。”出見田先生道，“太子願圖國事於先生也”。田光曰：“敬奉教。”乃造[165]焉。

　　太子逢迎，卻行為導[166]，跪而蔽席[167]。田光坐定，左右無人，太子避席而請[168]曰：“燕秦不兩立，願先生留意也。”田光曰：“臣聞騏驥[169]盛壯之時，一日而馳千里；至其衰老，駑馬[170]先之。今太子聞光盛壯之時，不知臣精已消亡矣。雖然，光不敢以圖國事，所善荊卿可使也。"太子曰："願因先生得結交於荊卿，可乎？"田光曰："敬諾。"即起，趨[171]出。太子送至門，戒[172]曰："丹所報，先生所言者，國之大事也，願先生勿泄也！"田光俛[173]而笑曰："諾。"僂行[174]見荊卿，曰："光與子相善，燕國莫不知。今太子聞光壯盛之時，不知吾形已不逮[175]也，幸而教之曰：'燕秦不兩立，願先生留意也。'光竊不自外，言足下於太子也，願足下過太子於宮。"荊軻曰："謹奉教。"田光曰："吾聞之，長者為行，不使人疑之。今太子告光曰'所言者，國之大事也，願先生勿泄'，是太子疑光也。夫為行而使人疑之，非節俠[176]也。"欲自殺以激荊卿，曰："願足下急過太子，言光已死，明[177]不言也。"因遂自刎而死。

荊軻遂見太子，言田光已死，致光之言。太子再拜而跪，膝行[178]流涕，有頃而後言曰："丹所以誡田先生毋言者，欲以成大事之謀也。今田先生以死明不言，豈丹之心哉！"荊軻坐定，太子避席頓首曰："田先生不知丹之不肖[179]，使得至前，敢有所道，此天之所以哀燕而不棄其孤也。今秦有貪利之心，而欲不可足也。非盡天下之地，臣[180]海內之王者，其意不厭[181]。今秦已虜韓王，盡納其地。又舉兵南伐楚，北臨趙；王翦將數十萬之眾距[182]漳、鄴[183]，而李信[184]出太原、雲中。趙不能支秦，必入臣[185]，入臣則禍至燕。燕小弱，數困於兵，今計舉國不足以當秦。諸侯服秦，莫敢合從[186]。丹之私計愚，以為誠得天下之勇士使於秦，窺[187]以重利；秦王貪，其勢必得所願矣。誠得劫秦王，使悉反諸侯侵地，若曹沫之與齊桓公，則大善矣；則不可[188]，因而刺殺之。彼秦大將擅兵[189]於外而內有亂，則君臣相疑，以其間諸侯得合從，其破秦必矣。此丹之上願，而不知所委命[190]，惟荊卿留意焉。”久之，荊軻曰：“此國之大事也，臣駑下，恐不足任使。” 太子前頓首，固請毋讓[191]，然後許諾。於是尊荊卿為上卿，舍上舍。太子日造門下，供太牢[192]具，異物間進，車騎美女恣[193]荊軻所欲，以順適其意。

　　久之，荊軻未有行意。秦將王翦破趙，虜趙王，盡收入其地，進兵北略[194]地至燕南界。太子丹恐懼，乃請荊軻曰：“秦兵旦暮[195]渡易水，則雖欲長侍足下，豈可得哉！”荊軻曰：“微[196]太子言，臣願謁[197]之。今行而毋信，則秦未可親也。夫樊將軍，秦王購之金千斤，邑萬家。誠得樊將軍首與燕督亢[198]之地圖，奉獻秦王，秦王必說[199]見臣，臣乃得有以報[200]。”太子曰：“樊將軍窮困來歸丹，丹不忍以己之私而傷長者之意，願足下更慮之！”

　　荊軻知太子不忍，乃遂私見樊於期曰：“秦之遇將軍可謂深矣[201]，父母宗族皆被戮沒[202]。今聞購將軍首金千斤，邑萬家，將奈何？”於期仰天太息流涕曰：“於期每念之，常痛於骨髓，顧計不知所出耳！”荊軻曰：“今有一言可以解燕國之患，報將軍之仇者，何如？”於期乃前曰：“為之奈何？”荊軻曰：“願得將軍之首以獻秦王，秦王必喜而見臣，臣左手把其袖，右手揕[203]其匈，然則將軍之仇報而燕見陵之愧除矣。將軍豈有意乎？”樊於期偏袒搤捥[204]而進曰：“此臣之日夜切齒腐心[205]也，乃今得聞教！”遂自剄。太子聞之，馳往，伏屍而哭，極哀。既已不可奈何，乃遂盛樊於期首函封[206]之。

於是太子豫求天下之利匕首，得趙人徐夫人匕首，取之百金，使工以藥焠之[207]，以試人，血濡縷[208]，人無不立死者。乃裝為遣荊卿。燕國有勇士秦舞陽，年十三，殺人，人不敢忤視[209]。乃令秦舞陽為副。荊軻有所待，欲與俱；其人居遠未來，而為治行[210]。頃之，未發，太子遲之，疑其改悔，乃復請曰：“日已盡矣！荊卿豈有意哉？丹請得先遣秦舞陽。”荊軻怒，叱太子曰：“何太子之遣？往而不返者，豎子[211]也！且提一匕首入不測之強秦，仆所以留者，待吾客與俱。今太子遲之，請辭決[212]矣！”遂發。

太子及賓客知其事者，皆白衣冠以送之。至易水之上，既祖[213]，取道，高漸離擊筑，荊軻和而歌，為變徵之聲[214]，士皆垂淚涕泣。又前而為歌曰：“風蕭蕭兮易水寒，壯士一去兮不復還！”復為羽聲[215]忼慨，士皆瞋目[216]，髮盡上指冠[217]。於是荊軻就車而去，終已不顧。

遂至秦，持千金之資[218]幣物，厚遺秦王寵臣中庶子蒙嘉[219]。嘉為先言於秦王曰：“燕王誠振怖[220]大王之威，不敢舉兵以逆[221]軍吏，願舉國為內臣，比[222]諸侯之列，給貢職如郡縣，而得奉守先王之宗廟[223]。恐懼不敢自陳，謹斬樊於期之頭，及獻燕督亢之地圖，函封，燕王拜送於庭，使使以聞大王，惟大王命之。”秦王聞之，大喜，乃朝服，設九賓[224]，見燕使者咸陽宮。荊軻奉樊於期頭函，而秦舞陽奉地圖柙，以次進。至陛，秦舞陽色變[225]振恐，群臣怪之。荊軻顧笑[226]舞陽，前謝曰：“北蕃[227]蠻夷之鄙人，未嘗見天子，故振慴[228]。願大王少假借[229]之，使得畢使於前。”秦王謂軻曰：“取舞陽所持地圖。”軻既取圖奏[230]之。秦王發圖[231]，圖窮而匕首見[232]。因左手把秦王之袖，而右手持匕首揕之。未至身，秦王驚，自引而起，袖絕[233]。拔劍，劍長，操其室[234]。時惶急，劍堅，故不可立拔。荊軻逐秦王，秦王環柱而走。群臣皆愕，卒[235]起不意，盡失其度[236]。而秦法，群臣侍殿上者不得持尺寸之兵；諸郎中[237]執兵皆陳殿下，非有詔召不得上。方急時，不及召下兵，以故荊軻乃逐秦王。而卒惶急，無以擊軻，而以手共搏之。是時侍醫夏無且以其所奉藥囊提[238]荊軻也，秦王方環柱走，卒惶急，不知所為，左右乃曰：“王負劍[239]！”負劍，遂拔以擊荊軻，斷其左股[240]。荊軻廢，乃引其匕首以擿[241]秦王，不中，中桐柱。秦王復擊軻，軻被八創。軻自知事不就，倚柱而笑，箕踞[242]以罵曰：“事所以不成者，以欲生劫之，必得約契以報太子也。"於是左右既前殺軻，秦王不怡者良久。已而論功，賞群臣及當坐者各有差，而賜夏無且黃金二百溢，曰："無且愛我，乃以藥囊提荊軻也。"

於是秦王大怒，益發兵詣趙[243]，詔王翦軍以伐燕。十月而拔[244]薊城。燕王喜、太子丹等盡率其精兵東保[245]於遼東。秦將李信追擊燕王急，代王嘉乃遺燕王喜書曰："秦所以尤追燕急者，以太子丹故也。今王誠殺丹獻之秦王，秦王必解[246]，而社稷幸得血食[247]。"其後李信追丹，丹匿衍水[248]中，燕王乃使使斬太子丹，欲獻之秦。秦復進兵攻之。後五年，秦卒滅燕，虜燕王喜。

其明年，秦併天下，立號為皇帝。於是秦逐[249]太子丹、荊軻之客，皆亡[250]。高漸離變名姓為人庸保[251]，匿作於宋子[252]。久之，作苦，聞其家堂上客擊筑，彷徨不能去。每出言曰："彼有善有不善。"從者以告其主，曰："彼庸乃知音，竊言是非。"家丈人[253]召使前擊筑，一坐稱善，賜酒。而高漸離念久隱畏約無窮時[254]，乃退[255]，出其裝匣中筑與其善衣，更容貌而前。舉坐客皆驚，下與抗禮[256]，以為上客。使擊筑而歌，客無不流涕而去者。宋子傳客之[257]，聞於秦始皇。秦始皇召見，人有識者，乃曰："高漸離也。"秦皇帝惜其善擊筑，重赦之，乃矐其目[258]。使擊筑，未嘗不稱善。稍益近之，高漸離乃以鉛置筑中，復進得近，舉筑朴[259]秦皇帝，不中。於是遂誅高漸離，終身不復近諸侯之人[260]。

魯句踐已聞荊軻之刺秦王，私曰："嗟乎，惜哉其不講[261]於刺劍之術也！甚矣吾不知人也！曩者吾叱之，彼乃以我為非人[262]也！"

## 注釋

123. 先：先人，祖先。

124. 卿：古代對男人的美稱。

125. 衛元君：衛國國君，公元前 251 年即位，在位二十五年。

126. 榆次：戰國時趙國城邑，即今山西省榆次市。

127. 論劍：談論劍術，有比試的意思。

128. 目：瞪眼看。

129. 曩者吾與論劍有不稱者：曩者：昔者，這裏指剛才；不稱，不相稱，不合適。

130. 主人：房東。

131. 去：離開。

132. 攝：通 "懾"。威懾，震懾。

133. 博：古代一種下棋的遊戲。

134. 爭道：爭執博局的招數。道，棋盤上的格。

135. 嘿：同 "默"。

136. 筑：古代絃樂器，像琴，屬於打擊樂。

137. 沉深：深沉穩重。

138. 盡與其賢豪長者相結：賢豪長者，賢士、豪傑和年高有德行的人；相結，相結交。

139. 處士：有才有德不願為官的人，隱居者。

140. 會燕太子丹質秦：會，正趕上；質秦，在秦國當人質。

141. 三晉：指韓、趙、魏三國。其國君原來都是晉國的大夫，後各自立國，將晉一分為三。

142. 稍蠶食諸侯：稍，逐漸；蠶食，像蠶吃桑葉一樣地逐漸侵吞。

143. 且至於燕：快要打到燕國的邊境了。

144. 傅：太子太傅，負責對太子的教育訓導的工作。

145. 甘泉、谷口：皆山名，在陝西省。

146. 擅巴：據有巴地。

147. 士厲：士兵訓練有素。厲，磨練，訓練。

148. 兵革：武器裝備。兵，武器；革，皮鎧甲。

149. 意有所出：心思一動。

150. 長城之南，易水以北：指燕國全境。

151. 未有所定也：沒有一點安穩的地方。

152. 見陵：被欺凌。見，被；陵：欺侮。

153. 批其逆鱗：批，觸動；逆鱗，傳說中龍頸部倒生的鱗片。觸到倒
     鱗的人，龍即發怒，必死，用以比喻暴君兇殘。

154. 居有間：過了一段時間。

155. 舍：使……住下來。

156. 寒心：提心吊膽。

157. 委肉當餓虎之蹊：意思是把肉放置在餓虎經過的小路上。委，
     拋；當，對；蹊，小路。

158. 不振：無法拯救。

159. 管、晏：管仲、晏嬰，皆是春秋時齊國的謀臣。

160. 滅口：消除秦國進攻我國的藉口。

161. 媾：通“媾”，媾和，聯盟。

162. 惛然：煩亂。惛，糊塗。

163. 後交：新交，晚交。

164. 資怨而助禍：助長怨恨而促使禍患的發展。

165. 造：拜訪。

166. 卻行為導：倒退着走，為別人引路。

167. 蔽席：擦拭座位讓座。

168. 避席而請：離開自己的座席向田光請教。避席，表示敬意。

169. 騏驥：良馬，駿馬。

170. 駑馬：劣等馬。

171. 趨：小步快走。

172. 戒：同“誡”，囑咐，告誡。

173. 俛：同“俯”，低頭。

174. 僂行：彎腰而行，老態龍鍾。

175. 不逮：達不到。

176. 節俠：有節操、講義氣的人。

177. 明：表明，顯示。

178. 膝行：跪行，雙膝着地前進。

179. 不肖：不成材，沒出息。

180. 臣：使……臣服，稱臣。

181. 厭：同“饜”，滿足。

182. 距：抵達。

183. 漳、鄴：漳水、鄴城，當時是趙國的南境。

184. 李信：與王翦同為秦國名將。

185. 入臣：前往秦國稱臣。

186. 合從：即“合縱”，六國聯合結成一體共同對抗秦國。

187. 窺：示，誘。

188. 則不可：如果不可以。

189. 擅兵：掌握兵權。擅，專斷。

190. 不知所委命：這句話的意思是不知道把這件事託付給誰做。

191. 讓：推辭。

192. 太牢：牛、羊、豬各一頭，是古代祭祀或待客的最重的禮節。

193. 恣：聽任，隨其所欲。

194. 略：奪取，侵佔。

195. 旦暮：早晚，極言時間之短。

196. 微：無，沒有。

197. 謁：請見，稟告。

198. 督亢：今河北省境內的一部分地區。

199. 說：喜歡，高興。後來寫作“悅”。

200. 臣乃得有以報：這句話的意思是我才有報答您的機會。

201. 秦之遇將軍可謂深矣：遇，對待；深，殘酷，狠毒。

202. 戮沒：戮，殺死；沒，入官府為奴。

203. 揕：直刺；匈，同“胸”，胸膛。

204. 偏袒搤捥：脫掉一隻衣袖，露出半邊臂膀，一隻手緊握另一隻手
     腕，是當時人發誓、表決心時常做動作。搤，同“扼”，捉住；
     捥，同“腕”。

205. 切齒腐心：我日夜咬牙切齒，捶胸頓足，就是因為想不出報仇的
     好辦法。

206. 函封：裝入匣子包封起來。

207. 以藥焠之：把燒紅的匕首放到有毒的液體裏蘸。

208. 血濡縷：只要滲出一點血絲。

209. 忤視：用忤逆的眼光看。忤，逆，抵觸。

210. 治行：準備行裝。

211. 豎子：小子，對別人的蔑稱。

212. 辭決：告辭，辭別。

213. 既祖：餞行之後。祖，古人出遠門時祭祀路神。

214. 為變徵之聲：發出變徵的音調。古代樂律分宮、商、角、變徵、
     徵、羽、變宮七調，相當於 C、D、E、F、G、A、B 七調。
     變徵即 F 調，此調蒼涼、淒惋。

215. 羽聲：相當於 A 調。此音調慷慨激昂。

216. 瞋目：瞪眼睛。

217. 髮盡上指冠：因發怒而頭髮豎起，把帽子頂起來。

218. 資：價值，資財。

219. 厚遺秦王寵臣中庶子蒙嘉：遺，贈送；中庶子，太子的官屬，掌管宮中及諸官的支系圖譜。

220. 振怖：心裏害怕。

221. 逆：迎戰，抵抗。

222. 比：相當於。

223. 得奉守先王之宗廟：這句話的意思是不要把燕國消滅掉，因為這樣的話，燕國祭祀祖先的宗廟就會不復存在。

224. 九賓：外交上隆重的禮儀。一說九個禮賓人員，一說九種不同的禮節，一說九種地位不同的禮賓人員。

225. 色變：變了臉色。

226. 顧笑：回頭笑。

227. 蕃：同"藩"，籬笆，諸侯國對天子自稱"藩國"，自謙為蠻夷之地。

228. 振慴：恐懼。

229. 少假借：稍微寬容一下。

230. 奏：獻上。

231. 發圖：展開地圖。

232. 圖窮而匕首見：窮，最後，末端；見，同"現"，出現。

233. 絕：斷。

234. 操其室：這句話的意思是因為劍很長，所以倉促之間拔不出來。室，指劍鞘。

235. 卒：通"猝"，突然。

236. 度：常態。

237. 郎中：皇帝的侍從。

238. 提：投擲。

239. 負劍：推劍至背上。

240. 股：大腿。

241. 摘：同"擲"。投擲。

242. 箕踞：兩腳張開，如同簸箕一樣坐在地上，這是一種輕蔑對方的動作。

243. 益發兵詣趙：益，增加；詣，到……去。

244. 拔：攻克，佔領。

245. 保：據守。

246. 解：寬釋。

247. 社稷幸得血食：國家或許能夠得到保存。社稷，土神和穀神；血食，享受祭祀，因為祭祀時要殺牛、羊、豬三牲。

248. 衍水：即今天的太子河，在遼寧省本溪市境內。

249. 逐：追捕。

250. 亡：逃亡，躲藏。

251. 庸保：幫工，夥計。

252. 宋子：地名，今河北省趙縣東北。

253. 家丈人：東家，主人。

254. 久隱畏約無窮時：意思是長久地這樣躲藏畏懼下去，何時是盡頭呢！

255. 退：從堂上下來回到內室。

256. 抗禮：用平等的禮節接待。

257. 傳客之：輪流請他去作客。

258. 重赦之，乃矐其目：這兩句的意思是，不可能輕易饒了他，於是弄瞎了他的眼睛。重，難以；矐其目：弄瞎他的眼睛；矐，熏瞎。

259. 朴：打，撞擊。

260. 諸侯之人：東方六國的人。

261. 講：講究，精通。

262. 非人：不是同一類的人。

太史公曰：世言荊軻，其稱太子丹之命[263]，"天雨粟，馬生角"[264]也，太過。又言荊軻傷秦王，皆非也。始公孫季功，董生與夏無且遊，具知其事，為余道之如是。自曹沫至荊軻五人，此其義[265]或成或不成，然其主意較[266]然，不欺[267]其志，名垂後世，豈妄[268]也哉！

## 注釋

263. 命：運氣，命運。
264. 天雨粟，馬生角：這裏比喻不可能之事。
265. 義：義舉，指行刺。
266. 較：清楚，明白。
267. 欺：違背。
268. 妄：虛妄，荒誕。

## 串講

本篇的第一位刺客曹沫，並不是真正意義上的刺客——他不過手拿匕首脅迫齊桓公要求歸還魯國被侵佔的土地，但勇氣可嘉。

專諸，吳國堂邑人，伍子胥將其薦與公子光，公子光利用專諸刺殺吳王僚。專諸的刺殺技術顯然玄妙：將匕首藏於烤魚肚中，將魚獻上，趁掰開魚時用匕首刺殺了王僚。王僚當場斃命，其侍衛隨即殺死專諸。公子光自立為國君，即吳王闔閭。闔閭知恩圖報，封專諸子為上卿。

第三位刺客有着離奇的行刺經歷，除自殘外，結果也出人意料。豫讓，晉國人，受智伯的尊重寵倖。後趙襄子與韓、魏合謀滅智伯。豫讓潛逃，偽裝成受過刑的人進入趙襄子宮中修整廁所，意圖趁機刺殺趙襄子。趙襄子察覺後惜其為義士將其放走。不久，豫讓又漆身吞炭，潛藏於趙襄子經過的橋下，再次被擒。無奈之下，豫讓請求通過刺破趙襄子衣以實現報仇意象。襄子讚賞其俠義當即應允，後豫讓自殺。

第四位刺客聶政，為殺人躲避仇家，與母、姐逃往齊國，以屠宰為業。嚴仲子對其施以厚禮，望其為己報仇，聶政卻因老母健在，始終不肯接受。後聶母去世，聶政趕往濮陽見嚴仲子，表示願為其事。後謝絕車騎人眾，杖劍赴韓，刺殺了俠累，並自毀面容，剖腹自殺。韓國將聶政屍體暴於街市，出賞金查問兇手其誰。其姐聶榮隨即至韓國都城查看，證實後趴屍體之上痛哭而死。

從此以後二百二十多年，秦國有荊軻的事蹟。

荊軻，衛國人，喜愛讀書、擊劍。至燕國後，與擅擊筑的高漸離交好。高漸離擊筑，荊軻即和拍高歌。荊軻為人深沉穩重，遊歷各國，與當地賢士豪傑相交甚好。不久，在秦國做人質的燕太子丹逃回燕國，尋求報復秦王之法。田光向太子丹推薦了荊卿。精心準備後，荊軻攜秦王懸賞的樊將軍人頭與燕國地圖上路。太子及賓客身着白衣於易水邊為荊軻送行，場景慷慨悲壯。

至秦國，荊軻厚贈秦王寵臣蒙嘉，秦王聽信蒙嘉美言，以隆重儀式於咸陽宮召見燕國使者。不料行至殿前台階時隨行者秦舞陽心存懼念臉色突變，荊軻當即以秦舞陽狹識為由請求秦王寬容。後獻上地圖，秦王展開地圖，至盡頭時匕首露出，荊軻趁機行刺，功敗，被秦兵亂刃所殺。五年後，秦國滅燕。

第二年，秦王吞併天下，立號為皇帝，通緝太子丹與荊軻門客。因其憐惜高漸離擅長擊筑，故赦免其死罪，但薰瞎其眼。高漸離將鉛放進筑中，再進宮擊筑時，舉筑擊打秦始皇，未果，被殺。從此，秦始皇終身不敢再接近東方六國之人。

# 評析

《太史公自序》言：“曹子匕首，魯獲其田，齊明其信；豫讓義不為二心。作《刺客列傳》第二十六。”本篇記述了五位俠義之士的生平事蹟，其具體情狀各有不同，而“信”、“義”則一。曹沫朝堂上劫持齊國國君，是有感於魯國之恩；專諸甘為人戮，豫讓漆身吞炭，聶政毀容自殺，是為報知己之義；荊軻易水悲歌，從容赴死，則兼有報國之恩與死友之義的雙重意味。

古來信義之人多有，而刺客的悲壯慘烈之處在於他們是以生命為實現信義的手段。死生大矣，捨棄這天地與父母的寶貴賜予、這僅有一次的生命，決非易事。一時負氣而死，只是莽夫匹婦；重其死亦重其生，才是賢者的作為。本篇筆法歷來為人所稱道，其要在於對這些刺客如何選擇了“身死”道路的曲折描繪。他們往往只是一些布衣平民，但在起始時就受人厚待，得人深知，重義深情，逼迫着、激勵着他們去以身相報。這是悲劇的伏筆，綿長哀怨。而當他們完成了世間的其他必做之事，決定為大義深恩而赴死時，作者則有意點出他們的危險處境，與對手相較力量的懸殊。變徵之聲，悚人心目，是悲劇的前奏。最終在那千鈞一髮的剎那，他們奮身而起，從容鎮定，身死義成。此時風雲變色，天地低徊，悲劇在這一刻達到高潮。此後或有餘音，如聶政之姐聶榮，荊軻之友高漸離，也都是再次捨生取義，更增悲感。

五篇故事中荊軻刺秦王一則最為曲折，也最負盛名。荊軻千古義士，而一開始即寫他周遊則不為衛元君所用、論劍則不入方家之眼，與人相爭則隱忍逃去，以點出其心中激憤鬱結之氣，也暗示其劍術不精，日後必敗；而刺秦以前，田光先生、樊於期先生先後自刎，義氣相激，情勢漸急；為解太子丹之疑心倉促起身，易水之上，白衣送行，悲歌慷慨，如詩如畫，如訴如泣；而在大堂之上逐秦王而走，人影嘈雜錯亂之中，義士迸發出了生命中所有的蓄積，完成了他的最後一搏。荊軻的命運，實在開首已定，並隨着行文一步步明朗化。但作者並不明言，只是逐層遞進，逐步烘托，山雨欲來風滿樓，黑雲壓城城欲摧，使悲劇的氣氛達於極致，使那一短暫的死亡具有了無限豐富的內容和懷想。歷史上成功的人很少，失敗者是大多數。然而英雄並不能以成敗而論，問心無愧地活着，情深義重地死去，都是真英雄，《史記》中有許多這樣的英雄。從對他們深情描摹的文字裏，我們當體味出太史公的無限感慨。

　　吳見思《史記論文》曾曰：“刺客是天壤間第一種激烈人，《刺客傳》是《史記》中第一種激烈文字，故至今淺讀之而鬚眉四照，深讀之則刻骨十分。”司馬氏筆下的刺客，都有着天地間最真誠純潔的性情。天下危亂，生死相交，惟有這一片至情至性絢爛奪目，撼人心魄。它令普天之下有情有義之士為之同聲一哭，也令“現代”、“後現代”社會中成熟老練的我們，讀之神往，讀之汗顏。

季布欒布列傳

季布者，楚人也。為氣任俠[1]，有名於楚。項籍使將[2]兵，數窘漢王[3]。及項羽滅，高祖購求[4]布千金。敢有舍匿[5]，罪及三族。季布匿濮陽周氏。周氏曰："漢購將軍急，跡且至臣家[6]，將軍能聽臣，臣敢獻計；即不能，願先自剄[7]。"季布許之。乃髡鉗[8]季布，衣褐衣[9]，置廣柳車[10]中，併與其家僮數十人，之魯朱家所賣之[11]。朱家心知是季布，乃買而置之田[12]。誡[13]其子曰："田事聽此奴，必與同食。"朱家乃乘軺車[14]之洛陽，見汝陰侯滕公[15]。滕公留朱家飲數日。因謂滕公曰："季布何大罪，

漢·《石門頌》

而上[16]求之急也？”滕公曰：“布數為項羽窘上，上怨[17]之，故必欲得之。”朱家曰：“君視季布何如人也？”曰：“賢者也。”朱家曰：“臣各為其主用，季布為項籍用，職耳[18]。項氏臣可盡誅[19]邪？今上始得天下，獨[20]以己之私怨求一人，何示天下之不廣[21]也！且以季布之賢而漢求之急如此，此不北走胡即南走越[22]耳。夫忌壯士以資敵國[23]，此伍子胥所以鞭荊平王之墓[24]也。君何不從容為上言邪？”汝陰侯滕公心知朱家大俠，意季布匿其所[25]，乃許曰：“諾[26]。”待間[27]，果言如朱家指[28]。上乃赦[29]季布。當是時，諸公皆多季布能摧剛為柔[30]，朱家亦以此聞名當世。季布召見，謝，上拜[31]為郎中。

孝惠[32]時，為中郎將。單于嘗為書嫚呂后[33]，不遜[34]，呂后大怒，召諸將議之。上將軍樊噲曰：“臣願得十萬眾，橫行匈奴中。”諸將皆阿[35]呂后意，曰：“然。”季布曰：“樊噲可斬也！夫高帝將兵四十餘萬眾，困於平城[36]，今噲奈何以十萬眾橫行匈奴中，面欺[37]！且秦以事於胡[38]，陳勝等起[39]。於今創痍未瘳[40]，噲又面諛[41]，欲搖動天下。”是時殿上皆恐，太后罷朝，遂不復議擊匈奴事。

季布為河東守[42]，孝文[43]時，人有言其賢者，孝文召，欲以為御史大夫[44]。復有言其勇，使酒[45]難近。至，留邸[46]一月，見罷。季布因進[47]曰：“臣無功竊寵，待罪[48]河東。陛下無故召臣，此人必有以臣[49]欺陛下者；今臣至，無所受事[50]，罷去，此人必有以毀[51]臣者。夫陛下以一人之譽而召臣，一人之毀而去臣，臣恐天下有識聞之有以窺陛下[52]也。”上默然慚[53]，良久曰：“河東吾股肱[54]郡，故特[55]召君耳。”布辭之官[56]。

楚人曹丘生[57]，辯士[58]，數招權顧金錢[59]。事貴人趙同[60]等，與竇長君善[61]。季布聞之，寄書諫竇長君曰：“吾聞曹丘生非長者[62]，勿與通[63]。”及曹丘生歸，欲得書請季布。竇長君曰：“季將軍不說[64]足下，足下無往。”固請書[65]，遂行。使人先發書，季布果大怒，待曹丘。曹丘至，即揖[66]季布曰：“楚人諺曰：‘得黃金百（斤），不如得季布一諾。’足下何以得此聲[67]於梁楚間哉？且僕楚人，足下亦楚人也。僕遊揚足下之名於天下，顧不重邪[68]？何足下距僕之深[69]也！”季布乃大說，引入，留數月，為上客，厚送之。季布名所以益聞者，曹丘揚之也。

季布弟季心，氣蓋關中[70]，遇人恭謹[71]，為任俠[72]，方[73]數千里，士皆爭為之死。嘗殺人，亡之吳[74]，從袁絲匿。長事袁絲，弟畜灌夫、籍福之屬[75]。嘗為中司馬，中尉郅都不敢不加禮。少年多時時竊籍[76]其名以行。當是時，季心以勇，布以諾，著聞關中[77]。

季布母弟[78]丁公，為楚將。丁公為項羽逐窘高祖彭城西，短兵[79]接，高祖急，顧[80]丁公曰：“兩賢豈相厄[81]哉！”於是丁公引兵而還，漢王遂解去。及項王滅，丁公謁見高祖。高祖以丁公徇[82]軍中，曰：“丁公為項王臣不忠，使項王失天下者，乃丁公也。"遂斬丁公，曰："使後世為人臣者無效丁公！"

## 注釋

1. 為氣任俠：好逞意氣而以俠義自任。

2. 將：帶，率領。

3. 數窘漢王：數，屢次；窘，使動用法，困迫；漢王，秦末群雄並起時劉邦曾受孺子嬰之封為漢王，領有關中之地。

4. 購求：懸賞捉拿。

5. 舍匿：藏匿，窩藏。

6. 跡且至臣家：巡捕馬上就要來到臣下的家裏了。跡，行跡，行蹤。

7. 自剄：自刎，割頸自盡。

8. 髡鉗：髡，古代一種剃去頭髮的刑罰；鉗，頸上束鐵箍。

9. 衣褐衣：褐衣，粗布衣服。此句中前一個"衣"是動詞，意為"穿上"；後一個"衣"是名詞，意為"衣服"。

10. 廣柳車：當時用來運輸的大牛車，一說是運棺材的喪車。

11. 之魯朱家所賣之：此句中前一個"之"是動詞，意為"來到"；後一個"之"是語助詞。朱家，漢初的大俠。

12. 置之田：讓他在莊園裏幹活。

13. 誡：告誡，訓誡。

14. 軺車：小型輕便的馬車。

15. 汝陰侯：即夏侯嬰。以其曾任滕縣令，故稱滕公。

16. 上：皇帝。

17. 怨：怨恨，懷恨在心。

18. 職耳：（這是）他應盡的責任啊。

19. 盡誅：全部殺掉。誅：殺死。

20. 獨：副詞，僅僅，只是。

21. 不廣：氣量不大，心胸狹窄。

22. 北走胡即南走越：走，逃跑，這裏意謂投奔；胡，中國古代西北部少數民族的統稱，此處指匈奴；越，百越，是中國古代南部和東南部少數民族的統稱。

23. 忌壯士以資敵國：忌，忌恨；資，幫助。

24. 伍子胥所以鞭荊平王之墓：伍子胥的父親為楚平王所殺，於是他逃到吳國，幫助吳國打敗了楚國，把平王的屍骨挖出，鞭打三百，以洩憤恨。可參看《史記·伍子胥列傳》及《史記·楚世家》。

25. 意季布匿其所：意，猜度；匿其所，藏在他家。

26. 諾：答應語，表示同意。

27. 待間：等待時機。

28. 言如朱家指：按朱家的意思（向皇帝）說了。指：通"旨"，意旨，意思。

29. 赦：赦免。

30. 多季布能摧剛為柔：多，稱賞；摧剛為柔，變剛強為柔順，指能屈能伸。

31. 拜：授給官職。

32. 孝惠：漢惠帝劉盈，高祖之子。

33. 單于嘗為書嫚呂后：單于，匈奴君主的稱號；為書，寫信；嫚，輕慢，侮辱。呂后：呂雉，漢高祖劉邦的皇后。

34. 不遜：不禮貌，衝撞放肆。

35. 阿：討好，迎合。

36. 高帝將兵四十餘萬眾，困於平城：漢高祖七年（前200），匈奴謀反，高祖劉邦四十萬大軍前往平息，在平城被冒頓單于圍困達七日，後用陳平之計方得解圍。其事可參看《史記·高祖本紀》、《史記·陳丞相世家》、《史記·韓信盧綰列傳》等。

37. 奈何以十萬眾橫行匈奴中，面欺：奈何，如何能夠；面欺，當面撒謊。

38. 秦以事於胡：秦朝因為對匈奴用兵。

39. 陳勝等起：指秦朝末年的陳勝、吳廣起義。其事可參看《史記·陳
    涉世家》。

40. 創痍未瘳：（秦漢之際）連年戰爭所造成的損失還沒有得到彌補。
    痍，創傷；瘳，病癒。

41. 面諛：當面逢迎。

42. 河東守：河東的郡守。河東，漢郡名，在今山西省西南。

43. 孝文：漢文帝劉恒，公元前179年—公元前157年在位。

44. 御史大夫：漢三公之一，掌管監察、司法。

45. 使酒：因性縱酒，酗酒。

46. 邸：古時王或朝見皇帝的官員在京城的住所。

47. 進：向皇帝進言。

48. 待罪：謙詞，指任職。

49. 以臣：即“以譽臣”，（在您面前妄自地)誇讚我。

50. 無所受事：沒有受到（您的）什麼吩咐委託。

51. 毀：詆毀，說壞話。

52. 天下有識聞之有以窺陛下：有識，有識見的人；窺，觀察，猜度
    （陛下的器識深淺）。

53. 慚：愧疚。

54. 股肱：比喻重要的輔佐。股，大腿；肱，手臂。

55. 特：特地，特別。

56. 辭之官：辭，這裏指辭別文帝。之官，回到原來的官任。

57. 生：對讀書人的稱呼，猶言“先生”。

58. 辯士：擅長辭令的人。

59. 數招權顧金錢：屢次倚仗權勢取得錢財。

60. 貴人趙同：即當時的宦官趙談。司馬遷在這裏為避父諱，改“談”
    為“同”。

61. 與竇長君善：竇長君，是漢文帝竇皇后的哥哥；善，關係好。

62. 長者：品行高尚、忠厚老實之人。

63. 通：交接，交往。

64. 說：同“悅”，喜歡。

65. 固請書：堅決要求（竇長君）寫（介紹）信去見季布。

66. 揖：拱手禮。這裏用作動詞，作揖，表示不卑不亢。

67. 聲：聲名，聲望。

68. 遊揚足下之名於天下，顧不重邪：遊揚，到處宣揚；顧，難道；重，有力量、可看重（之處）。

69. 距僕之深：距，通“拒”，排斥；深，甚，副詞，如此，非常。

70. 氣蓋關中：氣，勇氣，義氣；蓋，勝過，超過。

71. 遇人恭謹：待人謹慎有禮。

72. 為任俠：行為有俠義。

73. 方：周圍，方圓。

74. 嘗殺人，亡之吳：嘗，曾經；亡之吳，逃跑到吳地。

75. 長事袁絲，弟畜灌夫、籍福之屬：長事，像對待兄長一樣侍奉；弟畜，像對待弟弟一樣關心愛護；屬，類。

76. 竊籍：竊，偷偷；籍，憑藉，假藉。

77. 著聞關中：聞名於關中。

78. 母弟：舅舅。

79. 兵：武器。

80. 顧：回頭看。

81. 相厄：相煎迫，互相為難。

82. 徇：示眾。


　　欒布者，梁人也。始梁王彭越為家人[83]時，嘗與布遊[84]。窮困，賃傭[85]於齊，為酒人保[86]。數歲，彭越去[87]之巨野中為盜，而布為人所略賣[88]，為奴於燕。為其家主

漢·彩繪射姿立俑

報仇，燕將臧荼舉以為都尉。臧荼後為燕王，以布為將。
及臧荼反，漢擊燕，虜布[89]。梁王彭越聞之，乃言上，請
贖布以為梁大夫。

　　使於齊，未還，漢召彭越，責以謀反[90]，夷三族[91]。
已而梟彭越頭於雒陽下[92]，詔曰：“有敢收視[93]者，輒[94]
捕之。”布從齊還，奏事彭越頭下[95]，祠[96]而哭之。吏捕
布以聞[97]。上召布，罵曰：“若[98]與彭越反邪？吾禁人勿
收，若獨祠而哭之，與越反明矣[99]。趣亨[100]之。”方提
趣湯[101]，布顧曰：“願一言而死。”上曰：“何言？”布
曰：“方上之困於彭城，敗滎陽、成皋間，項王所以不能
遂西[102]，徒[103]以彭王居梁地，與漢合從苦楚[104]也。當是
之時，彭王一顧，與楚則漢破[105]，與漢而楚破。且垓下
之會，微[106]彭王，項氏不亡。天下已定，彭王剖符受

封<sup>107</sup>，亦欲傳之萬世。今陛下一徵兵於梁，彭王病不行<sup>108</sup>，而陛下疑以為反，反形未見<sup>109</sup>，以苛小案<sup>110</sup>誅滅之，臣恐功臣人人自危<sup>111</sup>也。今彭王已死，臣生不如死，請就亨。」於是上乃釋布罪，拜為都尉。

孝文時，為燕相，至將軍。布乃稱<sup>112</sup>曰：「窮困不能辱身下志<sup>113</sup>，非人也！富貴不能快意<sup>114</sup>，非賢也。」於是嘗有德者厚報之，有怨者必以法滅之<sup>115</sup>。吳楚反<sup>116</sup>時，以軍功封俞侯，復為燕相。燕齊之間皆為欒布立社<sup>117</sup>，號曰欒公社。

景帝中五年薨<sup>118</sup>。子賁嗣<sup>119</sup>，為太常<sup>120</sup>，犧牲不如令<sup>121</sup>，國除<sup>122</sup>。

## 注釋

83. 家人：無官職的平民。
84. 遊：交遊，交往。
85. 賃傭：被人僱傭。
86. 保：傭工。
87. 去：來到。
88. 略賣：掠去出賣。
89. 虜布：抓到了季布。虜，俘虜，這裏用作動詞。
90. 責以謀反：以謀反的罪名處置（他）。責，責罰。
91. 夷三族：殺三族，是當時的一種刑罰。夷，殺，滅。
92. 梟彭越頭於雒陽下：梟，懸頭示眾；雒陽，即洛陽。
93. 收視：收，收屍，收殮；視，哀悼祭祀。
94. 輒：立即，立刻。

95. 奏事彭越頭下：指受彭越之命出使齊的欒布從齊地返回後，仍在彭越的頭下進行彙報。

96. 祠：祭祀。

97. 聞：使動用法，意為“使（上）聞”，即報告皇帝。

98. 若：人稱代詞，意為“你”。

99. 明矣：很明顯了。

100. 趣亨：趣，通“促”，立刻；亨，同“烹”，即烹殺，古代用鼎鑊把人煮死的一種酷刑。

101. 方提趣湯：提，抬起；趣，通“趨”。

102. 遂西：順利向西進發。劉邦困彭城、敗滎陽等事可參看《史記·高祖本紀》等篇。彭越在漢楚之爭中的事蹟可參看《史記·魏豹彭越列傳》。

103. 徒：只，只是。

104. 合從苦楚：合從，即“合縱”，此為“聯合”意；苦，使……受苦，即困厄。

105. 彭王一顧，與楚則漢破：一顧，調頭一走；破，失敗，被攻破。

106. 微：無，沒有。這裏是假設的話，意思是“假如沒有”。

107. 剖符受封：盟誓剖符，接受冊封。剖符，古代帝王分封諸侯或功臣時，把符節剖分為二，雙方各執其半，以示信用。

108. 陛下一徵兵於梁，彭王病不行：漢高祖十年（前197），陳豨在代地謀反，高祖前往征討。至邯鄲，向彭越徵兵，彭越託病不行。可參看《史記·魏豹彭越列傳》。

109. 見：同“現”，表現，顯示。

110. 苛小案：苛小，微不足道的小事；案，通“按”，以……為理由判罪。

111. 人人自危：個個都感到自身難保。

112. 稱：宣稱。

113. 辱身下志：屈身受辱，降低志向。

114. 快意：遂心如意，指依照自己的心願行動，施展抱負。

115. 嘗有德者厚報之，有怨者必以法滅之：對給過自己恩惠的人予以重重的回報，對和自己有仇的人依照法律進行處置。

116. 吳楚反：指漢景帝三年（前154）以吳王劉濞為主謀的七個諸侯國發動武裝叛亂，史稱“七國之亂”。可參看《史記‧吳王濞列傳》。

117. 社：祠廟。

118. 薨：諸侯、王死稱為“薨”。

119. 嗣：繼承。這裏指繼承他的封國。

120. 太常：中央主管祭祀的官吏。

121. 犧牲不如令：犧牲，古代祭祀用的牲畜。犧是古代作祭品用的毛色純一的牲畜，牲是指供祭祀和宴享用的牛、羊、豬；不如令，沒有按照法令規定。

122. 國除：收回封號和封地。


　　太史公曰：以項羽之氣[123]，而季布以勇顯於楚[124]，身屢（典）軍搴旗[125]者數矣，可謂壯士。然至被[126]刑戮，為人奴而不死，何其下也！彼必自負其材，故受辱而不羞，欲有所用其未足[127]也，故終為漢名將。賢者誠重[128]其死。夫婢妾賤人感慨而自殺者，非能勇也，其計畫無復之耳[129]。欒布哭彭越，趣湯如歸[130]者，彼誠知所處[131]，不自重其死。雖往古烈士[132]，何以加哉[133]！


# 注釋

123. 氣：氣概。

124. 顯於楚：在楚地顯身揚名。

125. 身履（典）軍搴旗：履：踐踏。一說"履"當為"覆"，消滅。
　　搴，拔取。

126. 被：遭受。

127. 用其未足：發揮他未曾施展的才幹和抱負。

128. 重：看重。

129. 其計畫無復之耳：（只是）他們覺得沒有任何希望和出路罷了。

130. 如歸：像回家一樣（從容安定）。

131. 誠知所處：確實知道自己應該怎樣去做。

132. 烈士：英烈，有膽識有義氣，建立功業的人。

133. 加：在……之上，超過。

## 串講

　　季布，楚國人，曾在項羽軍下效力，多次圍困漢王劉邦。因此劉邦懷恨在心，奪得天下以後，就重金懸賞，捉拿季布。季布聽從濮陽周氏意見，扮為囚犯，與待賣奴隸同至大俠朱家家中。朱家明其情狀，因欽佩季布為人而將其買下。後朱家委託汝陰侯夏侯嬰向高祖劉邦陳說這種以一己私怨誅殺項羽舊部的做法是"示天下之不廣"、"忌壯士以資敵國"的不明智舉動，使得高祖赦免了季布並授予其官職。

　　惠帝時，季布為中郎將，匈奴來書挑釁，上將軍樊噲迎合當時的掌權者呂后之意，請求出兵。季布嚴陳天下剛定，元氣未復，不宜大肆用兵的道理，使得用兵之事終罷。季布後作河東郡郡守。文帝時季布聽召入京，後文帝聽信讒言未予季布以任命。後季布從容告辭回到原任。

　　楚人曹丘，長於辭令，數次倚仗權勢謀取錢財。季布認其非忠厚仁義之人，信告與曹丘交好的竇長君，勿與其來往。曹丘拜見季布，表明自己可看重之處。季布將其留作上賓款待。

季布弟季心，有氣概，講義氣，懂禮節。季心的勇武、季布的誠信，均馳名於關中。

欒布，梁人。梁王彭越早為平民時曾與欒布交往，後已是梁王的彭越又搭救過欒布，並命其官。欒布在受梁王之命出使齊國期間，高祖以謀反的罪名誅滅了梁王三族，將梁王首級懸掛示眾，且不准任何人來收殮和祭祀。欒布從齊國返回後，仍在梁王頭下進行彙報，並痛哭祭祀。高祖大怒，要將其丟進開水鍋裏煮殺。臨死前，欒布進言以表心跡，皇帝由此賜他免死。文帝時欒布任諸侯國丞相，又升為將軍。吳楚叛亂時其因軍功而封侯，其侯國後因子孫在祭祀禮節上的錯誤被廢除。

太史公認為，季布委曲求全，是因為要發揮自己未嘗施展的抱負，可見才志之人並不肯輕易放棄自我；欒布視死如歸，是因為確實知道自己的生命如何來安排才有意義，這即使是古代的豪傑英烈，也沒法比得上他。

# 評析

前賢評此傳曰："義勇俠烈，千載如生。"（丁晏《史記餘論・季布欒布列傳》）本文寫季布，着重寫其能屈能伸、忠義敢言、嫉惡如仇的品行；寫欒布，則重點刻畫其深重義氣，為報知己視死如歸的大無畏精神。

本文以極短小之篇幅合傳兩人，均選取最能鮮明體現各自品格的事蹟進行摹寫。季布為求生存，心甘為奴；做官後又不畏權貴，淡泊名利；對待人事愛憎分明，豪爽痛快。欒布感恩不忘，在皇帝面前為恩主義正辭嚴陳說事理，面對酷刑從容自若。剪裁極為精當，使得人物性格鮮明，栩栩有生氣。司馬遷又善用襯托點染之法，如以丁公反襯季布的忠信，以朱家正襯季布的智勇等。而且，本文中對漢高祖皇帝心胸狹窄、忘恩負義的行為的記述，與平民出身而講究信義的季布、欒布相對照，也暗含了著者的褒貶之意。此外，本篇的人物辭令也很有特色，恰當地展現了兩位豪傑之士的精神風貌。

篇末讚中，太史公對季布"重其死"和欒布"不重其死"都給予了熱情讚頌。季布以柔，欒布以剛，都使自己的生命煥發出了最燦爛的光芒。許多論者指出，司馬遷在讚中所言的"自負其材，故受辱而不羞"，"賢者誠重其死"的話，是其自剖心跡之語。作為一個有血性有抱負的人，司馬遷寫作《史記》既是在探索古今人事的奧秘，又是在探尋現實人生的意義。生命如何才能最具價值，季布、欒布的一生也許是這個問題的答案之一。

李將軍列傳

李將軍廣者，隴西成紀[1]人也。其先曰李信[2]，秦時為將，逐得燕太子丹者也。故槐里[3]，徙[4]成紀。廣家世世受射[5]。孝文帝[6]十四年，匈奴大入蕭關[7]，而廣以良家子[8]從軍擊胡，用[9]善騎射，殺首虜[10]多，為漢中郎[11]。廣從弟[12]李蔡亦為郎，皆為武騎常侍[13]，秩[14]八百石。嘗從行，有所衝陷折關及格[15]猛獸，而文帝曰："惜乎，子不遇時[16]！如令子當高帝時，萬戶侯[17]豈足道哉！"

及孝景[18]初立，廣為隴西都尉[19]，徙[20]為騎郎將[21]。吳楚軍[22]時，廣為驍騎都尉[23]，從太尉亞夫擊吳楚軍[24]，取旗，顯功名昌邑[25]下。以梁王授廣將軍印，還，賞不行[26]。徙為上谷太守，匈奴日以合戰[27]。典屬國[28]公孫昆邪為上泣曰："李廣才氣，天下無雙，自負其能，數與虜敵戰，恐亡之。"於是乃徙為上郡[29]太守。後廣轉為邊郡太守，徙上郡[30]。嘗為隴西、北地、雁門、代郡、雲中太守，皆以力戰為名。

匈奴大入上郡，天子使中貴人從廣勒習兵[31]擊匈奴。中貴人將騎數十縱[32]，見匈奴三人，與戰。三人還射，傷中貴人，殺其騎且盡。中貴人走[33]廣。廣曰："是必射雕者也。"廣乃遂從百騎往馳三人。三人亡馬[34]步行，行數十里。廣令其騎張左右翼[35]，而廣身自射彼三人者，殺其二人，生得一人，果匈奴射雕者也。已縛之上馬，望匈奴有數千騎，見廣，以為誘騎，皆驚，上山陳[36]。廣之百騎皆大恐，欲馳還走。廣曰："吾去大軍數十里，今如此以百騎走，匈奴追射我立盡。今我留，匈奴必以我為大軍之誘，必不敢擊我。"廣令諸騎曰："前！"前未到匈奴陳二里所，止，令曰："皆下馬解鞍！"其騎曰："虜多且近，即有急[37]，奈何？"廣曰："彼虜以我為走，今皆解鞍以示不走，用堅其意[38]。"於是胡騎遂不敢擊。有白馬將出護其兵[39]，李廣上馬與十餘騎奔射殺胡白馬將，而復還至其騎中，解鞍，令士皆縱馬臥[40]。是時會暮，胡兵終怪之，不敢擊。夜半時，胡兵亦以為漢有伏軍於旁欲夜取之，胡皆引兵而去。平旦[41]，李廣乃歸其大軍。大軍不知廣所之，故弗從[42]。

居久之[43]，孝景崩[44]，武帝[45]立，左右以為廣名將也，於是廣以上郡太守為未央衛尉[46]，而程不識亦為長樂[47]衛尉，程不識故[48]與李廣俱以邊太守將軍屯。及出擊胡，而廣行無部伍行陳[49]，就善水草屯，舍止，人人自便，不擊刁斗[50]以自衛，莫府省約文書籍事[51]，然亦遠斥候[52]，未嘗遇害。程不識正部曲行伍[53]營陳，擊刁斗，士吏治軍簿至明，軍不得休息，然亦未嘗遇害。不識曰："李廣軍極簡易，然虜卒[54]犯之，無以禁[55]也；而其士卒亦佚樂[56]，咸樂為之死。我軍雖煩擾，然虜亦不得犯我。"是時漢邊郡李廣、程不識皆為名將，然匈奴畏李廣之略，士卒亦多樂從李廣而苦程不識。程不識孝景時以數直諫為太中大夫[57]。為人廉，謹於文法[58]。

後漢以馬邑城誘單于[59]，使大軍伏馬邑旁谷，而廣為驍騎將軍，領屬護軍將軍[60]。是時單于覺之，去，漢軍皆無功[61]。其後四歲[62]，廣以衛尉為將軍，出雁門[63]擊匈奴。匈奴兵多，破敗廣軍，生得廣。單于素聞廣賢，令曰：「得李廣必生致之。」胡騎得廣，廣時傷病，置廣兩馬間，絡而盛臥廣[64]。行十餘里，廣詳死[65]，睨[66]其旁有一胡兒騎善馬，廣暫[67]騰而上胡兒馬，因推墮兒，取其弓，鞭馬南馳數十里，復得其餘軍，因引而入塞[68]。匈奴捕者騎數百追之，廣行取胡兒弓，射殺追騎，以故得脫。於是至漢，漢下廣吏[69]。吏當[70]廣所失亡多，為虜所生得，當斬，贖為庶人[71]。

## 注釋

1. 隴西成紀：隴西，秦郡名，郡治在今甘肅省臨洮市；成紀，秦縣名，縣治在今甘肅省秦安市北。
2. 李信：其事蹟可參看《史記·刺客列傳》。
3. 故槐里：祖上在槐里居住。槐里：秦縣名，縣治在今陝西省興平市東南。
4. 徙：遷移到。
5. 世世受射：世世代代學習射法。
6. 孝文帝：漢高祖之子，名劉恒，公元前179年—公元前157年在位。
7. 蕭關：在今寧夏回族自治區固原市東南。
8. 良家子：家世清白的人家的子弟。
9. 用：因為，由於。
10. 殺首虜：斬殺敵人。首，用作動詞，斬首。

11. 為漢中郎：做漢朝皇帝的侍從。中郎，屬郎中令，在宮值夜護守，出則充當護衛。

12. 從弟：堂弟。

13. 武騎常侍：皇帝的侍從武官。

14. 秩：俸祿的等級。

15. 衝陷折關及格：衝陷，衝鋒陷陣；折關，抵擋敵人的進攻；格，擊，打。

16. 子不遇時：你生不逢時啊。

17. 萬戶侯：有萬戶封邑的侯爵。

18. 孝景：漢景帝，文帝之子，名劉啟，公元前156年—公元前141年在位。

19. 都尉：郡守副職，掌管郡中武事。

20. 徙：調任。此段中"徙"皆調任意。

21. 騎郎將：皇帝的侍從武官。

22. 吳楚軍：吳、楚七國造反起兵，即發生在漢景帝三年（前154）的"七國之亂"，其事可參看《史記‧吳王濞列傳》。

23. 驍騎都尉：軍官名。

24. 太尉亞夫擊吳楚軍：周亞平七國之亂事，可參看《史記‧絳侯世家》、《史記‧吳王濞列傳》。

25. 昌邑：當時梁國的要邑，在今山東省巨野市南。

26. 賞不行：沒有給他封賞。

27. 日以合戰：每天都與（李廣的軍隊）交戰。

28. 典屬國：漢代主管與外國、外族交往事務的官吏。

29. 上郡：漢郡名，郡治在今陝西省榆林市東南。

30. 徙上郡：此三字疑為衍文。

31. 中貴人從廣勒習兵：中貴人，受寵倖的宦官；從廣勒習兵，和李廣一起訓練軍隊。

32. 將騎數十縱：帶領數十名騎兵放馬馳騁。

33. 走：逃（回）。

34. 亡馬：沒有騎馬。

35. 張左右翼：左右散開進行包抄。

36. 陳：擺開陣勢。

37. 即有急：假如遇到緊急情況。

38. 用堅其意：以此來強化敵人的錯誤判斷。

39. 有白馬將出護其兵：白馬將，騎白馬的將領；護其兵，整飭軍隊。

40. 縱馬臥：放開馬，隨便躺臥。

41. 平旦：清晨。

42. 不知廣所之，故弗從：不知廣所之，不知道李廣的去向；故弗從，
    所以沒有予以接應。

43. 居久之：後來。居，引起"有頃"、"久之"、"頃之"等詞，表
    示相隔一段時間。

44. 孝景崩：孝景皇帝過世了。古代稱皇帝死為"崩"。

45. 武帝：漢武帝劉徹，景帝之子，公元前140年—公元前87年在
    位。

46. 未央衛尉：未央宮的衛隊長。未央宮為當時皇帝的居所。衛尉：漢
    九卿之一，執掌守衛宮門。

47. 長樂：長樂宮，為當時太后居所。

48. 故："此句中"故"為"從前"意。

49. 無部伍行陳：不講究軍隊的編制行列。

50. 刁斗：古代軍中用具，為銅製的軍用飯鍋，白天用來燒飯，晚上用
    來打更巡邏。

51. 莫府省約文書籍事：莫府，同"幕府"，將軍的辦事機構；顏師古
    《漢書注》曰："幕府者，以軍幕為義。軍旅無常居止，故以帳幕
    言之。"省約，簡化。

52. 遠斥候：在遠處安排哨兵。斥候，偵察敵情的人員。

53. 正部曲行伍：部曲，古代軍隊編制，軍下有部，部下有曲，曲下有

屯；行伍，古代軍隊的基層編制，五人為伍，二十五人為行。

54. 卒：同“猝”，突然。

55. 禁：抵擋。

56. 佚樂：安閒快樂。佚，通“逸”，安逸，安閒。

57. 太中大夫：皇帝的文職侍從人員。

58. 謹於文法：嚴格執行朝廷制定的規章法令。

59. 以馬邑城誘單于：馬邑，漢縣名，縣治為今山西省朔縣。漢武帝元光二年（前133），漢以馬邑城誘單于入伏，被單于發覺，漢軍無功而返。可參看《史記・匈奴列傳》、《史記・韓長孺列傳》。

60. 領屬護軍將軍：領屬，屬某人統領；護軍將軍，指韓安國。

61. 漢軍皆無功：漢武帝元光二年（前133），漢以馬邑城誘單于入伏，被單于發覺，漢軍無功而返。可參看《史記・匈奴列傳》、《史記・韓長孺列傳》。

62. 其後四歲：這件事過了四年後。

63. 雁門：在今山西省代縣西北，為當時北方要塞之一。

64. 絡而盛臥廣：讓李廣躺在繩子編成的網兜裏。

65. 詳死：假裝死去。詳，通“佯”，假裝。

66. 睨：斜着眼睛看。

67. 暫：驟然，突然。

68. 因引而入塞：於是帶領他們(指他的殘部)進入關塞。

69. 下廣吏：把李廣交給執掌軍法的官吏處置。

70. 當：判決，判處。

71. 庶人：沒有官爵的平民。


　　頃之，家居數歲。廣家與故潁陰侯孫屏野[72]居藍田南山中射獵。嘗夜從一騎出，從人田間飲。還至霸陵亭[73]，霸陵尉[74]醉，呵止廣。廣騎曰：“故李將軍。”尉曰：“今將軍尚不得夜行，何乃故也！”止廣宿亭下。居無何[75]，匈奴入殺遼西太守[76]，敗韓將軍[77]，後韓將軍徙右北平。於是天子乃召拜廣為右北平太守。廣即請霸陵尉與俱，至軍而斬之。

廣居右北平，匈奴聞之，號曰“漢之飛將軍”，避之數歲，不敢入右北平。

廣出獵，見草中石，以為虎而射之，中石沒鏃[78]，視之石也。因復更射之，終不能復入石矣。廣所居郡聞有虎，嘗自射之。及居右北平射虎，虎騰傷廣，廣亦竟[79]射殺之。

廣廉，得賞賜輒分其麾下[80]，飲食與士共之。終廣之身，為二千石[81]四十餘年，家無餘財，終不言家產事。廣為人長，猨[82]臂，其善射亦天性也，雖其子孫他人學者，莫能及廣。廣訥口少言，與人居則畫地為軍陳，射闊狹[83]以飲。專以射為戲，竟死[84]。廣之將兵，乏絕之處[85]，見水，士卒不

李廣射石圖

盡飲，廣不近水，士卒不盡食，廣不嘗食。寬緩不苛，士以此愛樂為用。其射，見敵急，非在數十步之內，度不中不發，發即應弦而倒。用此，其將兵數困辱，其射猛獸亦為所傷云。

居頃之，石建[86]卒，於是上召廣代建為郎中令。元朔六年，廣復為後將軍[87]，從大將軍[88]軍出定襄，擊匈奴。諸將多中首虜率[89]，以功為侯者，而廣軍無功。後二歲，廣以郎中令將四千騎出右北平，博望侯張騫將萬騎與廣俱，異道。行可數百里，匈奴左賢王[90]將四萬騎圍廣，廣軍士皆恐，廣乃使其子敢往馳之。敢獨與數十騎馳，直貫胡騎，出其左右而還，告廣曰：“胡虜易與[91]耳。”軍士乃安。廣為圜陳外向[92]，胡急擊之，矢下如雨。漢兵死者過半，漢矢且盡。廣乃令士持滿[93]毋發，而廣身自以大黃射其裨將[94]，殺數人，胡虜益解。會日暮，吏士皆無人色，而廣意氣自如，益治軍。軍中自是服其勇也。明日，復力戰，而博望侯軍亦至，匈奴軍乃解去。漢軍罷[95]，弗能追。是時廣軍幾沒，罷歸。漢法，博望侯留遲後期，當死，贖為庶人。廣軍功自如[96]，無賞。

初，廣之從弟李蔡與廣俱事孝文帝。景帝時，蔡積功勞至二千石。孝武帝時，至代相。以元朔五年為輕車將軍，從大將軍擊右賢王，有功中率[97]，封為樂安侯。元狩二年中，代公孫弘為丞相。蔡為人在下中，名聲出廣下甚遠，然廣不得爵邑，官不過九卿，而蔡為列侯，位至三公[98]。諸廣之軍吏及士卒或取封侯。廣嘗與望氣王朔燕語[99]，曰：「自漢擊匈奴而廣未嘗不在其中，而諸部校尉以下，才能不及中人，然以擊胡軍功取侯者數十人，而廣不為後人[100]，然無尺寸之功以得封邑者，何也？豈吾相不當侯邪？且固命也？」朔曰：「將軍自念，豈嘗有所恨[101]乎？」廣曰：「吾嘗為隴西守，羌[102]嘗反，吾誘而降，降者八百餘人，吾詐而同日殺之。至今大恨獨此耳。」朔曰：「禍莫大於殺已降，此乃將軍所以不得侯者也。」

後二歲，大將軍、驃騎將軍[103]大出擊匈奴，廣數自請行，天子以為老，弗許；良久乃許之，以為前將軍。是歲，元狩四年也。

廣既從大將軍青擊匈奴，既出塞[104]，青捕虜知單于所居，乃自以精兵走[105]之，而令廣併於右將軍軍，出東道。東道少回遠[106]，而大軍行水草少，其勢不屯行[107]。廣自請曰：「臣部為前將軍，今大將軍乃徙令臣出東道，且臣結髮而與匈奴戰[108]，今乃一得當[109]單于，臣願居前，先死[110]單于。」大將軍青亦陰受上誡[111]，以為李廣老，數奇[112]，毋令當單于，恐不得所欲。而是時公孫敖新失侯[113]，為中將軍從大將軍，大將軍亦欲使敖與俱當單于，故徙前將軍廣。廣時知之，固[114]自辭於大將軍。大將軍不聽，令長史[115]封書與廣之莫府，曰：「急詣部[116]，如書。」廣不謝[117]大將軍而起行，意甚慍怒而就部，引兵與右將軍食其合軍出東道。軍亡導[118]，或失道[119]，後大將軍。大將軍與單于接戰，單于遁走，弗能得而還。南絕幕[120]，遇前將軍、右將軍。廣已見大將軍，還入軍。大將軍使長史持糒醪[121]遺廣，因問廣、食其失道狀，青欲上書報天子軍曲折[122]。廣未對，大將軍使長史急責廣之幕府對簿[123]。廣曰："諸校尉無罪，乃我自失道。吾今自上簿。"

　　至莫府，廣謂其麾下曰："廣結髮與匈奴大小七十餘戰，今幸從大將軍出接單于兵，而大將軍又徙廣部行回遠，而又迷失道，豈非天哉！且廣年六十餘矣，終不能復對刀筆之吏[124]。"遂引刀自剄[125]。廣軍士大夫[126]一軍皆哭。百姓聞之，知與不知，無老壯皆為垂涕。而右將軍獨下吏，當死，贖為庶人。

## 注釋

72. 與故穎陰侯孫屏野：穎陰侯，即灌嬰，漢初名將，封地在穎陰；穎陰侯孫，名強；屏野，摒除人事，退居山野。
73. 霸陵亭：霸陵附近的亭驛。霸陵，漢文帝的陵墓，在今陝西省西安市東北，漢時設有霸陵縣。
74. 尉：縣中主管緝捕盜賊的官吏。
75. 居無何：過了不久。
76. 匈奴入殺遼西太守：其事可參看《史記・韓長孺列傳》。
77. 韓將軍：即韓安國。
78. 鏃：箭頭。

79. 竟：終於。

80. 麾下：部下。

81. 為二千石：做年俸二千石這一級的官。

82. 猨：傳說的一種通臂猿，左右兩臂在肩部相通，可自由伸縮。

83. 闊狹：在地上所畫的寬窄不同的線，表示軍隊的行列。

84. 竟死：一直到死都是這樣。

85. 乏絕之處：缺糧少水的地方。

86. 石建：漢武帝時任郎中令，元朔六年（前124）卒。

87. 後將軍：《漢書・百官公卿表》載："前、後、左、右將軍皆周末
    官，秦因之。位上卿，金印紫綬。漢不常置，皆掌兵及四夷。"

88. 大將軍：《後漢書・百官表》載："將軍不常置，掌征伐背叛，比
    公者四，第一，大將軍；次，驃騎將軍；次，車騎將軍；次，衛將
    軍。"這裏的大將軍指衛青。

89. 中首虜率：中，達到；首虜率，按斬敵首級的數目而加官進爵的
    標準。

90. 左賢王：匈奴單于手下的統帥。當時置左賢王和右賢王，左賢王居
    東方，右賢王居西方。

91. 易與：容易對付。

92. 圜陳外向：排成圓形軍陣，面朝外應敵。陳，同"陣"。

93. 持滿：拉滿弓。

94. 以大黃射其裨將：大黃，弩弓名，用獸角製成，色黃，體大，可以
    連發；裨將，副將。

95. 罷：通"疲"，疲乏，疲憊。

96. 軍功自如：軍功和敗罪相抵銷。

97. 率：即上文所說的"首虜率"。

98. 廣不得爵邑，官不過九卿，而蔡為列侯，位至三公：九卿，秦漢官
    制，皇帝以下最高官位是三公，其次是九卿。漢九卿是太常、光祿
    勳、衛尉、太僕、廷尉、鴻臚、宗正、大司農、少府。列侯，又稱

徹侯、通侯，封有一定領地，在漢代是一般官員的最高榮譽。三公，指丞相、太尉、御史大夫。

99. 嘗與望氣王朔燕語：望氣，古人認為觀察一個地方的雲氣，可以預測有關人事的吉凶禍福；燕語，閒談。

100. 不為後人：不為人後，不比別人差。

101. 恨：遺憾，悔恨，於心有愧（的事）。

102. 羌：古代西北地區的少數民族。

103. 大將軍、驃騎將軍：大將軍，這裏指衛青；驃騎將軍，這裏指霍去病。

104. 廣既從大將軍青擊匈奴，既出塞：此句中前一個"既"，意為"不久"；後一個"既"，意為"已經"。

105. 走：追逐。

106. 少回遠：有點曲折繞遠。少，稍稍。

107. 不屯行：不停留，意謂行進得很快。

108. 結髮：古代男子二十歲梳髮戴冠，表示成人。這裏意指剛成人。

109. 當：面對，當面與之戰。

110. 死：（與之）決一死戰。

111. 陰受上誡：暗中聽受皇帝的命令。陰，暗地裏，暗中。

112. 數奇：命運不好。

113. 時公孫敖新失侯：其事可參看《史記‧衛將軍驃騎列傳》。

114. 固：通"故"，所以，因此。

115. 長史：丞相、將軍手下的屬官，猶今之秘書長。

116. 急詣部：速到右將軍軍部去報到。詣，到……去。

117. 謝：辭別。

118. 亡導：沒有嚮導。

119. 或失道：因迷惑而走錯了道路。或，同"惑"。

120. 南絕幕：向南回軍，穿過沙漠。絕，橫渡，穿過；幕，同"漠"。

121. 糗醪：糗，乾飯；醪，汁滓混合的酒，濁酒。

122. 曲折：詳細的情況。

123. 對簿：對質，受審。簿：文書，檔案。

124. 刀筆之吏：掌刀筆、管文書的小吏。刀筆是古代紙張發明以前所
    使用的書寫工具，書寫時用筆寫在竹簡上，錯了就用刀刮去。

125. 引刀自剄：引刀，拔出刀；自剄，自刎。

126. 士大夫：指其部下的將士。


　　廣子三人，曰當戶、椒、敢，為郎。天子與韓嫣戲[127]，
嫣少不遜[128]，當戶擊嫣，嫣走。於是天子以為勇。當戶早
死，拜[129]椒為代郡太守，皆先廣死。當戶有遺腹子名
陵。廣死軍時，敢從驃騎將軍。廣死明年[130]，李蔡以丞
相坐侵孝景園壖地[131]，當下吏治，蔡亦自殺，不對獄[132]，
國除[133]。李敢以校尉從驃騎將軍擊胡左賢王，力戰，奪左
賢王鼓旗，斬首多，賜爵關內侯，食邑二百戶，代廣為郎
中令。頃之，怨大將軍青之恨其父，乃擊傷大將軍，大將
軍匿諱[134]之。居無何[135]，敢從上雍[136]，至甘泉宮[137]獵。
驃騎將軍去病與青有親[138]，射殺敢。去病時方貴幸，上
諱云鹿觸殺之。居歲餘，去病死。而敢有女為太子中
人[139]，愛幸，敢男禹有寵於太子，然好利，李氏陵遲[140]
衰微矣。

　　李陵既壯[141]，選為建章監[142]，監諸騎。善射，愛士
卒。天子以為李氏世將，而使將八百騎。嘗深入匈奴二千
餘里，過居延[143]視地形，無所見虜而還。拜為騎都尉，

將丹陽[144]楚人五千人，教射酒泉、張掖以屯衛胡[145]。

數歲[146]，天漢二年秋[147]，貳師將軍李廣利將三萬騎擊匈奴右賢王於祁連天山[148]，而使陵將其射士步兵五千人出居延北可千餘里，欲以分匈奴兵，毋令專走[149]貳師也。陵既至期還，而單于以兵八萬圍擊陵軍。陵軍五千人，兵矢既盡，士死者過半，而所殺傷匈奴亦萬餘人。且引[150]且戰，連鬥八日，還，未到居延百餘里，匈奴遮狹絕道[151]，陵食乏而救兵不到，虜急擊招降陵。陵曰："無面目報陛下。"遂降匈奴。其兵盡沒，餘亡散[152]得歸漢者四百餘人。

單于既得陵，素聞其家聲[153]，及戰又壯，乃以其女妻陵而貴之[154]。漢聞，族[155]陵母妻子。自是之後，李氏名敗，而隴西之士居門下者皆用為恥[156]焉。

## 注釋

127. 韓嫣：其事可參看《史記·佞幸列傳》。

128. 少不遜：有點不禮貌，衝撞放肆。

129. 拜：授給官職。

130. 明年：第二年。

131. 坐侵孝景園壖地：坐，因犯……罪；孝景園，漢景帝的陵園；壖地，皇帝陵園內神道（正對陵墓的大道）兩邊的空地。

132. 對獄：受審。

133. 國除：收回其王、侯的領地及封號。

134. 匿諱：隱瞞不說。

135. 居無何：沒過多久。

136. 從上雍：隨從武帝到雍。雍，漢縣名，在今陝西省鳳翔縣南。

137. 甘泉宮：漢離宮，在今陝西省淳化縣甘泉山上。

138. 驃騎將軍去病與青有親：霍去病是衛青的外甥。衛青是漢武帝寵妃衛子夫的同母異父弟，霍去病是衛子夫胞姐之子。

139. 中人：指侍妾，宮中姬妾無位號者。

140. 陵遲：衰落。

141. 從這句開始到"太史公曰"之前的文字，古今學者多認為是後人所續。

142. 建章監：建章宮的衛隊長。建章宮在未央宮西，建於漢武帝太初元年。

143. 居延：居延海，在今內蒙古自治區額濟納旗北部。

144. 丹陽：漢郡名，郡治在今安徽省宣城市，古代屬楚。

145. 教射酒泉、張掖以屯衛胡：酒泉、張掖，皆漢郡名，在今甘肅省境內；屯衛，駐軍防守。

146. 數歲：幾年（以後）。

147. 天漢二年：天漢，漢武帝年號，共四年（公元前100年—公元前97年）。天漢二年為公元前99年。

148. 貳師將軍李廣利三萬騎擊匈奴右賢王於祁連天山：貳師將軍，李廣利的封號，以其伐大宛，到貳師城奪得汗血馬而名；祁連天山，即祁連山，在今甘肅省境內。

149. 走：這裏為使動用法，可解為"攻打"意。

150. 引：撤退。

151. 遮狹絕道：在險要的地方截斷了李陵軍隊的退路。

152. 亡散：僥倖得以逃脫的零散的兵卒。

153. 素聞其家聲：素，向來，一向；家聲，家族的聲名、聲望。

154. 以其女妻陵而貴之：把自己的女兒嫁給李陵，使他得到尊貴的地位。

155. 族：滅族，古代的一種刑罰，一人有罪，殺其三族或九族。這裏指殺其全家。

156. 居門下者皆用為恥：居門下者，在其門下為賓客的人；用為恥，以（曾出入於李氏之門）為恥辱。


　　太史公曰：《傳》曰"其身正，不令而行；其身不正，雖令不從"[157]。其李將軍之謂也？余睹李將軍悛悛如鄙人[158]，口不能道辭。及死之日，天下知與不知，皆為盡哀。彼其忠實心誠信[159]於士大夫也？諺曰"桃李不言，下自成蹊[160]"。此言雖小，可以喻大[161]也。

## 注釋

157. 《傳》曰"其身正，不令而行；其身不正，雖令不從"：《傳》，漢代稱儒家六藝（指《詩經》、《尚書》、《易經》、《禮記》、《春秋》、《樂記》六種據傳經過孔子編定的儒家經典）為經，其他賢人著作為傳。此處《傳》指《論語》。其身正四句：語出《論語·子路》篇，意思是"本身行為正當，不強制命令，事情就行得通；本身行為不正當，縱使三令五申，別人也不會信從"。

158. 悛悛如鄙人：悛悛，老實厚道的樣子。悛，同"恂"；鄙人，鄉下人。鄙，指邊遠的地方。

159. 信：取信。

160. 桃李不言，下自成蹊：顏師古《漢書注》曰："言桃李以其華實之故，非有所召呼，而人爭歸趣，來往不絕，其下自然成蹊，以喻人懷誠信之心，故能潛有所感也。"蹊，小路。

161. 喻大：說明重大的道理。

# 串講

　　本篇傳記記載的是漢代著名的將軍李廣。李廣，隴西成紀人，世代傳習箭法。漢孝文帝時，匈奴大舉入侵蕭關，李廣參軍作戰，威武勇敢。曾隨漢文帝出行，文帝見其作戰勇敢，嗟歎其生不逢時——若生於高祖皇帝之時，被封萬戶侯輕而易舉。文章接下來記載了一件小事體現李廣的智勇雙全：任上郡太守時，逢匈奴大舉入侵，皇帝派親信的宦官與李廣共同練兵抗敵。一次宦官帶騎兵外出，遇三匈奴人，匈奴人將宦官射傷，騎兵亦幾近殺光。李廣得知後帶百騎去追，殺二捉一。審問方知其為射法高強的匈奴射雕手。李廣正欲攜此人走，發現一千餘匈奴騎兵。李廣命騎兵繼續前進，至敵軍近處下馬解鞍，其間射殺了敵軍的白馬將士。敵軍以為附近有漢朝大軍埋伏，不敢攻擊，撤退而去。

　　漢朝以馬邑城引誘單于入埋伏時，李廣以驍騎將軍的身份參加，但因單于發覺漢朝計策，漢軍功沒。又過了四年，李廣以衛尉的身份做將軍出雁門關抗擊匈奴。因寡不敵眾，被匈奴活捉。李廣此時身有傷，躺在兩馬中間的網兜裏前行。其佯死，趁人不備奪取了旁邊人的戰馬，找到並率領殘部回到漢朝。罪當斬，贖身為平民。

　　後匈奴大舉入邊，天子重新起用李廣為右北平太守。他在任期間，匈奴懾於其威名，多年不敢入侵，並稱李廣為“飛將軍”。李廣曾外出打獵，見遠處草叢中石頭，誤以為虎，舉箭而射，近時見箭頭已深深沒入石中。

　　郎中令石建死後，李廣接替其職。其間曾以後將軍身份隨同大將軍衛青出擊匈奴，未有戰績。兩年後，李廣率四千騎兵出右北平，博望侯張騫率一萬騎兵與其一同出征，異路分行。匈奴左賢王帶四萬騎兵圍困李廣軍隊。李廣命其子李敢率幾十名騎兵直穿匈奴軍陣，又從敵軍的左右翼返回本部，以此安定軍心。李廣還命軍士排成圓形軍陣禦敵，箭欲盡時命其控弦不發，其拿大黃弓射殺敵軍副將，敵人攻勢得以緩和。將士們面無人色，獨李廣指揮若定。

當年，李廣堂弟李蔡曾與李廣一起侍奉孝文皇帝。前者為人名氣與李廣相差甚遠，卻累積軍功封為列侯，直至三公高位，李廣卻一直未得爵位封地，官位也未超過九卿。

兩年後，大將軍衛青、驃騎將軍霍去病率軍大舉出征匈奴，李廣苦苦請求，皇帝才任命其為前將軍隨大將軍而行。衛青從俘虜口中得知匈奴單于居處後，欲本人率精兵直攻，而讓李廣與右將軍合軍，繞行遠路。李廣與右將軍的軍隊因無嚮導而迷路。後與衛青相遇，衛青欲將李廣迷路之事報告皇帝，催李廣去受審。李廣慨歎天意如此，不堪再受刀筆之吏的侮辱，拔刀自刎。

本篇最後敘及了司馬遷因之獲罪的李廣孫李陵。李陵成年後，被選為建章宮護衛，後被任命為騎都尉。天漢二年（前99）秋天，貳師將軍李廣利率領三萬騎兵於祁連山進攻匈奴右賢王，派李陵率步兵射手五千人，出兵至居延海以北大約一千里處，以此分散敵人兵力。單于以八萬大軍圍截李陵軍，李陵軍糧食將盡而救兵不到，無奈之下投降匈奴。單于素聞李家聲名，將女兒嫁之。漢武帝知道後，殺李陵母、妻兒全家。從此，李氏名聲敗落，隴西一帶的人士曾出入李氏門下的，都以此經歷為恥辱。

# 評析

　　《史記·太史公自序》云："勇於當敵，仁愛士卒，號令不煩，師徒向之，作《李將軍列傳》。"明代大散文家茅坤《史記鈔》評此傳曰："李將軍於漢，最為名將，而卒無功，故太史公極意摹寫淋漓，悲咽可涕。"司馬遷以深情的筆觸，抒寫了自己對李將軍的無限傾慕和對其悲慘結局的深深歎惋。

　　本篇寫李廣一生事蹟，而佈局極有史法。開首即言李家世代習射，其後又寫其射匈奴射雕手，射白馬將，射追騎，射石沒鏃，射虎，射闊狹以飲，射猛獸，射裨將，一代名將的卓越才情躍然紙上。又李廣一生命運，在"數奇"二字。文帝即言其生不逢時，射匈奴則大軍不知其所至，伏單于則單于覺之，以智勇脫險反被治罪，拚死奮戰而仍功過相抵。最後終於得機會與單于當面決一死戰，又受人排擠，飲恨自殺。文中所具體描摹之事，無不出人意料而令人扼腕。除此之外，又安排以李蔡的才德平庸卻青雲直上來反襯此"數奇"，繼寫李氏家族的衰微來加深此"數奇"。

　　或許是有感於自己的命運，司馬遷往往偏愛那些悲劇性的人物，《史記》意欲"究天人之際，通古今之變"，李將軍名聲威震千古，身後蕭條寂寞，時耶？命耶？司馬遷並沒有做出直白的回答，但從對李廣清廉仁愛的品行、勇武奇逸的才能和士卒百姓對他的無限愛戴的描寫裏，可以知道太史公是要讓後世的讀者自己去體會揣摩。

滑稽列傳

孔子曰：“六藝[1]於治一也。《禮》以節人[2]，《樂》以發和[3]，《書》以道事[4]，《詩》以達意[5]，《易》以神化[6]，《春秋》以義[7]。”太史公曰：“天道恢恢[8]，豈不大哉！談言微中[9]，亦可以解紛[10]。”

## 注釋

1. 六藝：即六經，指《詩經》、《尚書》、《禮記》、《周易》、《樂記》、《春秋》六部據傳是經由孔子編定的儒家經典。
2. 節人：節制、規範人的思想、情感、行動等。
3. 發和：促進人與人之間的融洽和睦。
4. 道事：講述以往的事實，以資今人借鑒。
5. 達意：傳達先聖先賢的旨意。
6. 神化：使統治者的治理方法靈異化，即所謂“神道設教”。《太史公自序》中則言“《易》以道化”，意即《易》的作用是揭示天地間人事變化的道理。
7. 義：以道義來衡量是非。《太史公自序》中則言：“《春秋》以道義。”
8. 恢恢：包羅萬象，廣闊無邊。
9. 微中：稍稍切中道理。
10. 解紛：解決問題。

　　淳于髡者，齊之贅婿[11]也。長不滿七尺[12]，滑稽多辯[13]，數使[14]諸侯，未嘗屈辱[15]。齊威王之時喜隱[16]，好為淫樂長夜之飲，沉湎不治[17]，委政卿大夫。百官荒亂[18]，諸侯並侵[19]，國且[20]危亡，在於旦暮，左右莫敢諫。淳于髡說之以隱[21]曰：“國中有大鳥，止王之庭，三年不蜚[22]又不鳴，王知此鳥何也？"王曰："此鳥不飛則已，一飛衝天；不鳴則已，一鳴驚人。"於是乃朝諸縣令長[23]七十二人，賞一人，誅一人[24]，奮兵[25]而出。諸侯振[26]驚，皆還齊侵地。威行[27]三十六年。語[28]在《田完世家》中。

威王八年，楚大發兵加齊[29]。齊王使淳于髡之[30]趙請救兵，齎[31]金百斤，車馬十駟[32]。淳于髡仰天大笑，冠纓索絕[33]。王曰："先生少之[34]乎？"髡曰："何敢！"王曰："笑豈有說[35]乎？"髡曰："今者臣從東方來，見道傍有禳田[36]者，操一豚蹄[37]，酒一盂[38]，祝曰：'甌窶滿篝，汙邪滿車[39]，五穀蕃[40]熟，穰穰[41]滿家。'臣見其所持者狹而所欲者奢[42]，故笑之。"於是齊威王乃益齎黃金千溢[43]，白璧十雙[44]，車馬百駟。髡辭而行，至趙。趙王與之精兵十萬，革車[45]千乘。楚聞之，夜引兵[46]而去。

威王大說[47]，置酒後宮，召髡賜之酒。問曰："先生能飲幾何而醉？"對曰："臣飲一斗亦醉，一石亦醉。"威王曰："先生飲一斗而醉，惡能[48]飲一石哉！其說可得聞乎？"髡曰："賜酒大王之前，執法[49]在旁，御史[50]在後，髡恐懼俯伏而飲，不過一斗徑[51]醉矣。若親有嚴客[52]，髡帣韝鞠跽[53]，侍酒於前，時賜餘瀝[54]，奉觴上壽，數起[55]，飲不過二斗徑醉矣。若朋友交遊，久不相見，卒然相睹[56]，歡然道故[57]，私情相語[58]，飲可五六斗徑醉矣。若乃州閭[59]之會，男女雜坐，行酒稽留[60]，六博投壺[61]，相引為曹[62]，握手無罰，目眙不禁[63]，前有墮珥[64]，後有遺簪[65]，髡竊樂此，飲可八斗而醉二參[66]。日暮酒闌[67]，合尊促坐[68]，男女同席，履舄交錯[69]，杯盤狼藉，堂上燭滅，主人留髡而送客，羅襦[70]襟解，微聞薌澤[71]，當此之時，髡心最歡，能飲一石。故曰酒極則亂，樂極則悲[72]；萬事盡然。言不可極，極之而衰。”以諷諫焉。齊王曰：“善。”乃罷長夜之飲[73]，以髡為諸侯主客[74]。宗室置酒，髡嘗[75]在側。

其後百餘年，楚有優孟[76]。

優孟，故楚之樂人也。長八尺[77]，多辯，常以談笑諷諫。楚莊王之時，有所愛馬，衣以文繡[78]，置之華屋[79]之下，席以露床[80]，啖[81]以棗脯。馬病肥死[82]，使群臣喪之[83]，欲以棺槨[84]大夫禮葬之。左右爭[85]之，以為不可。王下令曰：“有敢以馬諫者，罪至死。”優孟聞之，入殿門，仰天大哭。王驚而問其故。優孟曰：“馬者王之所愛也，以楚國堂堂之大，何求不得，而以大夫禮葬之，薄，請以人君禮葬之。”王曰：“何如？”對曰：“臣請以雕玉為棺，文梓為槨[86]，楩楓豫章為題湊[87]，發甲卒為穿壙[88]，老弱負土[89]，齊趙陪位於前，韓魏翼衛其後[90]，廟食太牢[91]，奉以萬戶之邑[92]。諸侯聞之，皆知大王賤人而貴馬也。”王曰：“寡人之過一至此乎？為之奈何？”優孟曰：“請為大王六畜葬之[93]。以壟灶[94]為槨，銅歷[95]為棺，齎以薑棗[96]，薦以木蘭[97]，祭以糧稻，衣以火光，葬之於人腹腸。"於是王乃使以馬屬太官[98]，無令天下久聞也。

楚相孫叔敖知其賢人也，善待之。病且死，屬[99]其子曰："我死，汝必貧困。若[100]往見優孟，言我孫叔敖之子也。"居數年[101]，其子窮困負薪[102]，逢優孟，與言曰："我，孫叔敖子也。父且死時，屬我貧困往見優孟。"優孟曰："若無遠有所之[103]。"即為孫叔敖衣冠，抵掌談語[104]。歲餘，像孫叔敖，楚王及左右不能別也。莊王置酒，優孟前為壽[105]。莊王大驚，以為孫叔敖復生也，欲以為相。優孟曰："請歸與婦計之，三日而為相。"莊王許之。三日後，優孟復來。王曰："婦言謂何？"孟曰："婦言慎無為，楚相不足為也。如孫叔敖之為楚相，盡忠為廉以治楚，楚王得以霸。今死，其子無立錐之地[106]，貧困負薪以自飲食[107]。必如孫叔敖，不如自殺。"因歌曰："山居耕田苦，難以得食。起[108]而為吏，身貪鄙[109]者餘財，不顧恥辱。身死家室富，又恐受賕[110]枉法，為奸[111]觸大罪，身死而家滅。貪吏安可為也！念為廉吏，奉法守職，竟[112]死不敢為非。廉吏安可為也！楚相孫叔敖持廉[113]至死，方今妻子窮困負薪而食，不足[114]為也！"於是莊王謝[115]優孟，乃召孫叔敖子，封之寢丘[116]四百戶，以奉其祀。後十世不絕。此知可以言時[117]矣。

其後二百餘年，秦有優旃[118]。

優旃者，秦倡朱儒[119]也。善為笑言，然合於大道[120]。

秦始皇時，置酒而天雨[121]，陛楯者皆沾寒[122]。優旃見而哀之[123]，謂之曰："汝欲休[124]乎？"陛楯者皆曰："幸甚[125]。"優旃曰："我即呼汝，汝疾應曰諾[126]。"居有頃，殿上上壽呼萬歲。優旃臨檻[127]大呼曰："陛楯郎！"郎曰："諾。"優旃曰："汝雖長，何益，幸雨立[128]。我雖短也，幸休居[129]。"於是始皇使陛楯者得半相代[130]。

始皇嘗議欲大苑囿[131]，東至函谷關，西至雍、陳倉[132]。優旃曰："善。多縱禽獸於其中，寇從東方來，令麋鹿觸之足矣[133]。"始皇以故輟[134]止。

二世立[135]，又欲漆其城。優旃曰："善。主上雖無言[136]，臣固將請之[137]。漆城雖於百姓愁費[138]，然佳哉！漆城蕩蕩[139]，寇來不能上。即欲就[140]之，易為漆耳，顧難為蔭室[141]。"於是二世笑之，以其故止。居無何，二世殺死[142]，優旃歸漢，數年而卒。

太史公曰：淳于髡仰天大笑，齊威王橫行[143]。優孟搖頭而歌，負薪者以封[144]。優旃臨檻疾呼，陛楯得以半更[145]。豈不亦偉哉[146]！


# 注釋

11. 贅壻：招贅在女方家的女婿，地位很低，略高於奴隸。"壻"同"婿"。
12. 不滿七尺：古代以古尺七尺為男子身高的一般標準，不滿七尺，意為個子矮。

13. 滑稽多辯：口舌伶俐，詼諧幽默。司馬貞《史記索引》："滑，亂也。稽，同也。言辯捷之人言非若是，說是若非，能亂異同也。"張守節《史記正義》引顏師古《漢書注》："滑稽，轉利之稱也。滑，亂也。稽，礙也。言其變化無留滯也。"

14. 使：出訪，出使。

15. 未嘗屈辱：沒有辜負過自己的使命。

16. 喜隱：喜歡說謎語。隱，隱語，即謎語。

17. 沉湎不治：湎，沉迷於酒；不治，不過問政事。

18. 荒亂：荒淫放縱。

19. 並侵：都來侵犯。並，一起，一並。

20. 且：將要，快要。

21. 說之以隱：用隱語進諫。

22. 蜚：同 "飛"。

23. 朝諸縣令長：命令屬下各縣的縣令或縣長都來朝見。當時的齊國、楚國已設縣，人口萬戶以上的縣，長官稱為令；人口不滿萬戶的縣，長官稱為長。

24. 賞一人，誅一人：賞，賞賜；誅，殺。賞賜的是治績卓越但由於不會逢迎反蒙受惡名的即墨大夫，殺的是治績敗壞但由於善於巴結討好，在朝中反而有好名聲的阿大夫。可參看《史記‧田完世家》。

25. 奮兵：發兵。

26. 振：通 "震"。

27. 威行：威名顯揚於天下，即稱霸天下。

28. 語：關於此事的詳細記載。

29. 加齊：臨於齊境，侵犯齊國。加，陵壓。

30. 之：到……去。

31. 齎：帶着送給人的禮物。

32. 駟：一車四馬稱為一駟。

33. 冠纓索絕：意思是由於笑得太劇烈，而把脖子底下繫帽的帶子都掙斷了。冠纓，帽帶；索，盡，完全；絕，斷裂，斷開。

34. 少之：認為這些（禮物）少。

35. 說：解釋，說明。

36. 禳田：祭祀以求農事順利。

37. 操一豚蹄：操，拿着；豚蹄，豬蹄。

38. 盂：古代盛液體的器皿。

39. 甌窶滿篝，汙邪滿車：甌窶，高坡狹小之地；篝，筐籠一類的東西。汙邪，低窪易澇之地。這兩句意思是在祈求無論田質如何，都能獲得豐收。

40. 蕃：茂盛。

41. 穰穰：眾多的樣子。

42. 所持者狹而所欲者奢：準備付出的東西很少，想要得到的回報卻很多。

43. 益齎黃金千溢：益，增加；溢，同"鎰"，古代重量單位，一鎰為二十兩，一說為二十四兩。

44. 白璧十雙：璧，平而圓、中心有孔的玉。雙，對。

45. 革車：重戰車。宋葉大慶《考古質疑》："古者車兼攻守，合而言之，皆曰革車；分而言之，曰輕車、重車。"

46. 引兵：退兵。

47. 說：同"悅"，高興，歡喜。

48. 惡能：怎麼能。惡，如何，怎麼。

49. 執法：執法官吏。

50. 御史：監察官。

51. 徑：連詞，意同"就"。

52. 若親有嚴客：親，父母；嚴客，尊貴的客人。

53. 袒韝鞠跽：袒，挽起袖子；韝，戴上套袖；鞠跽，彎腰敬酒。

54. 瀝：水滴。餘瀝，剩酒。

55. 奉觴上壽，數起：奉，捧；觴，古代喝酒用的器具；數起，屢次上前伺候。

56. 卒然相睹：突然見面。卒，同 “猝”。

57. 歡然道故：高興地敘說舊事。

58. 私情相語：互相傾訴知心的話語。

59. 州閭：本鄉，鄰里。朱熹《論語集注‧衛靈公第十五》注云：二千
    五百家為州。《周禮》：“五家為比，五比為閭。”

60. 行酒稽留：行酒，依次飲酒；稽留，逗留。

61. 六博投壺：六博，亦稱博陸，一種走棋的遊戲；《楚辭‧招魂》洪
    興祖注引《博經》云：“局分為十二道，兩頭當中名為水。用棋十
    二枚，六白六黑，又用魚二枚，置入水中。其擲采（即色子——引
    者注）以瓊為之。二人互擲采行棋，棋行到處即豎之，名為驍棋，
    即入水食魚，亦名牽魚。每牽一魚獲二籌，翻一魚獲二籌。”投
    壺，在一定的距離外把箭投入壺狀的瓶中，以準度為勝負的遊戲。

62. 相引為曹：自動聚集成一個個小團體。曹：輩，相當於現代漢語的
    “們”。

63. 握手無罰，目眙不禁：眙，直視。這兩句的意為男女之間可以打破
    禁忌，互相調情。

64. 墮珥：掉落的耳環。

65. 遺簪：丟下的髮簪。

66. 醉二參：有二三分醉意。參，同 “三”。

67. 酒闌：酒宴將盡，酒快喝光了，人也要走散了。闌，殘盡。

68. 合尊促坐：合尊，把剩餘的酒、菜歸併到一張桌上。促坐，靠近地
    坐在一起。尊，同 “樽”，酒器名。

69. 履舄：履，鞋子；舄，木屐。

70. 羅襦：薄紗做的短上衣。

71. 薌：同 “香”。薌澤：香氣。

72. 酒極則亂，樂極則悲：酒喝得超過限度就會出大差錯，歡樂到了極
    點，悲哀的事就會隨之而來。

73. 罷：停止，取消。

74. 主客：外交官名。

75. 嘗：同“常”。

76. 優孟：字孟的優者。優，演戲的人。

77. 長八尺：身高八尺。

78. 文繡：精美的刺繡品。

79. 華屋：高大華麗的房子。

80. 露床：沒有帳幔的床。

81. 啖：餵。

82. 病肥死：得了肥胖病死掉了。

83. 喪之：給它服喪。

84. 棺槨：棺，內棺；槨，外棺。

85. 爭：勸諫，勸阻。

86. 文梓為椁：文梓，紋理細緻的梓木；椁，“槨”的異體字，指外面套的大棺材。

87. 梗楓豫章為題湊：梗楓豫章，皆為貴重的木材。題湊，南朝宋裴駰《史記集解》引蘇林曰：“以木累棺外，木頭皆內向，故曰題湊。”題，意為頭，題湊即木頭累排成的空穴，起保護棺槨的作用。

88. 穿壙：挖掘墓坑。穿：挖掘；壙，墓穴。

89. 負土：揹土築墳。

90. 齊趙陪位於前，韓魏翼衛其後：陪位，陪祭，據裴駰《史記集解》、司馬貞《史記索引》言，楚莊王時，晉國尚未分為趙、韓、魏三家，這裏這樣寫是一種誇飾之詞。

91. 廟食太牢：為它立祠廟，用太牢之禮祭祀它。太牢，牛羊豬各一頭，是古時最高的祭禮。《禮記·王制》：“天子社稷皆太牢，諸侯社稷皆少牢。”

92. 奉以萬戶之邑：以萬戶之邑的賦稅收入作為供奉祭祀它的費用。

93. 六畜葬之：拿對待畜生的辦法來給它送葬。六畜，指馬、牛、羊、雞、犬、豬。

94. 甗灶：土製鍋台。

95. 銅歷：大銅鍋。歷，同"鬲"，鼎一類的烹飪鍋，三足中空。

96. 齎以薑棗：齎，通"劑"，調味。薑棗，燉肉用的調味品。司馬貞《史記索引》曰："古者食肉用薑棗。"

97. 薦以木蘭：薦，加進；木蘭，香料。

98. 屬太官：屬，交給；太官，掌管帝王炊膳之事的官員。

99. 屬：通"囑"，叮囑，囑咐。

100. 若：指示代詞"你"。

101. 居數年：過了幾年。居，虛詞，用於"有頃"、"久之"、"頃之"等前面，表示相隔一段時間。

102. 負薪：揹柴，這裏指靠砍柴販賣為生。

103. 若無遠有所之：你不要到遠處去。若，指示代詞"你"。無，通"毋"，不要。司馬貞《史記索引》曰："謂'汝無遠有所之，適他境，恐王後求汝不得'也。"

104. 抵掌談語：打着手勢，談笑風生。抵掌，擊掌。

105. 壽：用作動詞，意為（敬酒）祝壽。

106. 無立錐之地：沒有可以插一個鐵錐尖端那麼大面積的土地，比喻十分貧窮。

107. 自飲食：自己供給自己吃喝，即自己養活自己。

108. 起：到朝廷做事。

109. 貪鄙：貪婪卑鄙。

110. 賕：賄賂。

111. 為奸：做非法的事。"奸"通"姦"，邪惡，奸詐。

112. 竟：至始至終，一直。

113. 持廉：守持廉潔的作風。

114. 足：值得。

115. 謝：謝過，謝罪。

116. 寢丘：楚邑名，在今河南省沈丘縣東南。

117. 知可以言時：這種智慧可以稱得上是善於把握時機。知，同 "智"，智慧。

118. 優旃：字旃的優人。

119. 秦倡朱儒：倡，表演歌舞的人；朱儒，亦作 "侏儒"，發育畸形，身材特殊矮小的人，古代帝王常畜之以為俳優，以供笑樂。

120. 合於大道：暗合於重大的道理。

121. 雨：動詞，下雨。

122. 陛楯者皆沾寒：陛楯者，殿前階下持武器警衛的武士。陛，台階，此處可以認為是特指皇宮的台階；楯，同 "盾"，此處泛指武器；沾寒，受凍。

123. 哀之：同情、可憐他們。

124. 休：不再持續這種（受凍）的狀況。

125. 幸甚：太好了。

126. 我即呼汝，汝疾應曰諾：即，如果；疾，快速；諾，答應語。

127. 臨檻：臨，到，靠近；檻，殿上的欄杆。

128. 汝雖長，何益，幸雨立：長，身材高大。幸，清代學者王念孫《讀書雜誌》中認為，此處 "幸" 是衍文，"雨" 後脫 "中" 字。

129. 我雖短也，幸休居：短，身材矮小；幸，僥倖，有幸。

130. 半相代：一半執勤，一半休息，相互輪換。

131. 大苑囿：擴大打獵場。苑囿：種植花木、豢養禽獸的園林。此處指上林苑，在今陝西省西安市西。

132. 東至函谷關，西至雍、陳倉：函谷關，在今河南省靈寶市東北；雍，秦縣名，縣治在今陝西省鳳翔縣南；陳倉，秦縣名，縣治在今陝西省寶雞市東。

133. 多縱禽獸於其中，寇從東方來，令麋鹿觸之足矣：從，發，放，此處意為放養；寇，敵人；麋鹿，獸名，又稱駝鹿；觸，抵抗。足，夠。

134. 輟：停止。

135. 立：即位。

136. 無言：想不到、不提起這件事。

137. 固將請之：本來也要請求您這樣做。固：本來。

138. 於百姓愁費：對百姓來說是件愁苦耗費的事。

139. 蕩蕩：高大闊氣的樣子。

140. 就：辦成。

141. 蔭室：遮蔽陽光，使漆器陰乾的房子。

142. 居無何，二世殺死：居無何，過了不久；殺死，被殺身死。秦二
世被趙高所殺事，可參看《史記·始皇本紀》。

143. 橫行：稱霸天下。

144. 以封：因此得到封賞。

145. 半更：對半輪換，指上文的"半相代"之事。

146. 豈不亦偉哉：難道不是大丈夫所做、值得頌揚的事蹟嗎！


褚先生[147]曰：臣幸得以經術為郎[148]，而好讀外家傳
語[149]。竊不遜讓[150]，復作故事[151]滑稽之語六章，編之於
左[152]。可以覽觀揚意[153]，以示後世好事者[154]讀之，以遊
心駭耳[155]，以附益上方太史公之三章。

武帝時有所幸倡郭舍人[156]者，發言陳辭雖不合大
道[157]，然令人主和說[158]。武帝少時，東武侯母常[159]養帝，
帝壯[160]時，號之曰"大乳母"。率一月再朝[161]。朝奏[162]
入，有詔使幸臣[163]馬遊卿以帛五十匹賜乳母，又奉飲糒
飧[164]養乳母。乳母上書曰："某所有公田，願得假倩
之[165]。"帝曰："乳母欲得之乎？"以賜乳母。乳母
所言，未嘗不聽。有詔得令乳母乘車行馳道[166]中。當此

東方朔

之時，公卿大臣皆敬重乳母。乳母家子孫奴從者橫暴[167]長安中，當道掣頓[168]人車馬，奪人衣服。聞於中[169]，不忍致之法[170]。有司請徙[171]乳母家室，處之於邊[172]。奏可[173]。乳母當[174]入至前，面見辭。乳母先見郭舍人，為下泣。舍人曰：「即[175]入見辭去，疾步數還顧[176]。」乳母如其言，謝[177]去，疾步數還顧。郭舍人疾言[178]罵之曰：「咄！老女子！何不疾行！陛下已壯矣，寧尚須汝乳[179]而活邪？尚何還顧！」於是人主憐焉悲之，乃下詔止無徙乳母，罰譖譖之者[180]。

武帝時，齊人有東方生[181]名朔，以好古傳書[182]，愛經術[183]，多所博觀外家之語[184]。朔初入長安，至公車[185]上書，凡用三千奏牘[186]。公車令兩人共持舉其書，僅然能勝之[187]。人主從上方讀之，止，輒乙[188]其處，讀之二月乃盡。詔拜[189]以為郎，常在側侍中。數召至前談語，人主未嘗不說[190]也。時詔賜之食於前[191]。飯已[192]，盡懷其餘肉[193]持去，衣盡汙。數賜縑帛[194]，擔揭[195]而去。徒[196]用所賜錢帛，取[197]少婦於長安中好女。率取婦一歲所者[198]即棄去，更[199]取婦。所賜錢財盡索之於女子[200]。人主左右諸郎半[201]呼之“狂人”。人主聞之，曰：“令朔在事無為是行者[202]，若等[203]安能及之哉！”朔任其子為郎，又為侍謁者[204]，常持節[205]出使。朔行殿中，郎謂之曰：“人皆以先生為狂。”朔曰：“如朔等，所謂避世[206]於朝廷間者也。古之人，乃避世於深山中。”時坐席中，酒酣，據地[207]歌曰：“陸沉[208]於俗，避世金馬門[209]。宮殿中可以避世全身，何必深山之中，蒿廬[210]之下。”金馬門者，宦〔者〕署門也，門旁有銅馬，故謂之曰“金馬門”。

時會聚宮下博士[211]諸先生與論議，共難[212]之曰：“蘇秦、張儀一當萬乘之主[213]，而都[214]卿相之位，澤及後世。今子大夫[215]修先王之術，慕聖人之義，諷誦《詩》、《書》百家之言，不可勝數。著於竹帛[216]，自以為海內無雙，即可謂博聞辯智[217]矣。然悉力盡忠以事聖帝[218]，曠日持久[219]，積[220]數十年，官不過侍郎[221]，位不過執戟[222]，意者尚有遺行[223]邪？其故何也？"東方生曰："是固非子所能備[224]也。彼一時也，此一時也[225]，豈可同哉！夫張儀、蘇秦之時，周室大壞[226]，諸侯不朝[227]，力政[228]爭權，相禽[229]以兵，併為十二國[230]，未有雌雄[231]，得士[232]者強，失士者亡，故說聽行通[233]，身處尊位，澤及後世，子孫長榮[234]。今非然[235]也。聖帝在上，德流天下[236]，諸侯賓服[237]，威振四夷[238]，連四海之外以為席[239]，安於覆盂[240]，天下平均，合為一家，動發舉事，猶如運[241]之掌中。賢與不肖，何以異哉？方今以天下之大，士民之眾，竭精馳說[242]，並進輻湊[243]者，不可勝數。悉力慕義，困於衣食，或失門戶[244]。使張儀、蘇秦與僕[245]並生於今之世，曾不能得掌故[246]，安敢望常侍侍郎乎！傳曰：'天下無害災，雖有聖人，無所施其才；上下和同，雖有賢者，無所立功。'[247]故曰時異則事異。雖然[248]，安可以不務修身[249]乎？《詩》曰：'鼓鐘於宮，聲聞於外。[250]''鶴鳴九皋，聲聞於天。[251]'苟能修身，何患不榮[252]！太公躬行仁義[253]七十二年，逢文王[254]，得行其說，封於齊，七百歲而不絕。此士之所以日夜孜孜[255]，修學行道，不敢止也。今世之處士[256]，時雖不用，崛然獨立[257]，塊然[258]獨處，上觀許由[259]，下察接輿[260]，策同范蠡[261]，忠合子胥[262]，天下和平，與義相扶[263]，寡偶少徒[264]，固其常[265]也。子何疑於余哉！"於是諸先生默然無以應也。

建章宮後閣重櫟[266]中有物出焉，其狀似麋[267]。以聞，武帝往臨視之。問左右群臣習事通經術者，莫能知。詔東方朔視之。朔曰："臣知之，願賜美酒粱飯大飱臣[268]，臣乃[269]言。"詔曰："可。"已[270]又曰："某所有公田魚池蒲葦數頃，陛下以賜臣，臣朔乃言。"詔曰："可。"於是朔乃肯言，曰："所謂騶牙者[271]也。遠方當來歸義[272]，而騶牙先見[273]。其齒前後若一，齊等無牙，故謂之騶牙。"其後一歲所[274]，匈奴混邪王果將十萬眾來降漢[275]。乃復[276]賜東方生錢財甚多。

至老，朔且死[277]時，諫曰："《詩》云：'營營青蠅，止於蕃。愷悌君子，無信讒言。[278]''讒言罔極，交亂四國。[279]'願陛下遠巧佞，退讒言[280]。"帝曰："今顧[281]東方朔多善言？"怪之[282]。居無幾何，朔果病死。傳曰："鳥之將死，其鳴也哀；人之將死，其言也善。[283]"此之謂也[284]。

## 注釋

147. 褚先生：褚少孫，西漢元帝、成帝時博士，曾補作《史記》。但哪些是他所作，哪些為他人偽託，尚有爭議。

148. 以經術為郎：因通經而被授予郎官的職務。

149. 外家傳語：史傳雜談。當時以儒家六藝為正經，其他一切雜說都被稱為"外家傳語"。

150. 竊不遜讓：竊，謙詞，私自，私下；遜讓，謙虛退讓。

151. 故事：前人舊事。

152. 編之於左：寫在下面。古人寫字為豎行，從頁面的右邊寫起。

153. 揚意：擴大見聞。

154. 好事者：喜歡熱鬧，愛包攬、打聽事情的人。

155. 遊心駭耳：馳騁意緒，聳動視聽。

156. 所幸倡郭舍人：幸，寵愛；舍人，家臣，這裏指具有某種技藝的
人。

157. 不合大道：與重大的道理無關，不登大雅之堂。

158. 令人主和說：人主，人君，皇帝；和說，歡欣喜悅；說，同
"悅"。

159. 常：同"嘗"，曾經。

160. 壯：長大成人。

161. 率一月再朝：率，大約；再朝，進見皇帝兩次；再，兩次。

162. 朝奏：請求皇帝接見的報告。

163. 有詔使幸臣：詔，皇帝的命令；幸臣，親近的侍臣。

164. 飲糒飱：飲，酒類；糒，乾糧，或曰同"備"，動詞，意為準
備；飱，熟食。

165. 某所有公田，願得假倩之：公田，西周時土地實行分封制，天子
將京畿的土地分封給諸侯為封國，諸侯再將部分土地分封給卿大
夫為食邑，卿大夫再將部分土地分封給士為食田，而每一級的封
地（封國、食邑、食田）中，都會有一部分租給邑民耕種，稱為
"公田"，剩下的稱"私田"。此處公田泛指政府的土地。假倩，
借用；假，借；倩，請。

166. 馳道：御道，帝王車馬行走的道路。

167. 橫暴：橫行施暴，為非作歹。

168. 當道掣頓：道，當街；掣頓，掠奪，扣押。

169. 中：皇宮裏。

170. 致之法：依照法律處置他們。

171. 有司請徙：有司，相關的職權部門；徙，流放。

172. 處之於邊：將他們打發到邊境地區。

173. 奏可：（關於處置此事的）奏議被批准了。

174. 當：應當。

175. 即：立刻，馬上。

176. 疾步數還顧：疾步，快步走；數，屢次，頻頻；還顧，回頭看。

177. 謝：辭別。

178. 疾言：快言快語。

179. 寧尚須汝乳：寧，難道；尚，還；須，等待；乳，動詞，哺乳。

180. 罰謫譖之者：謫，譴責，懲罰；譖，說壞話誣陷別人。

181. 東方生：東方，複姓；生，對讀書人的尊稱。

182. 好古傳書：好，喜好，喜歡；古傳書，前人流傳下來的古代書籍。

183. 經術：經學，指儒家的學說。

184. 外家之語：閒談雜說，即上文所說的"外家傳語"。

185. 公車：漢官署名，設有公車令，為掌管殿中司馬門的警衛，凡上書言事及朝廷徵召等事都由它管理。

186. 凡用三千奏牘：凡，總共，一共；奏牘，上奏言事的簡牘；牘，紙張發明以前古人寫字用的木片，三千奏牘，大約有十萬字。

187. 僅然能勝之：僅然，剛好；勝，承受，承擔，指抬得起。

188. 乙：劃斷的記號。

189. 詔拜：詔，皇帝下命令；拜，授予官職。

190. 說：同"悅"，高興，喜歡。

191. 時詔賜之食於前：時，常常；食於前，在皇帝面前吃飯。

192. 飯已：吃完飯。已，完畢。

193. 盡懷其餘肉：盡，都，全部；餘肉，泛指吃剩的酒肉。

194. 縑帛：泛指綢絹。縑，細絹；帛，絲織品的總稱。

195. 擔揭：扛抬。擔，肩挑；揭，高舉。

196. 徒：只，僅僅。

197. 取：娶妻。

198. 率取婦一歲所者：率，大概，大約；一歲所者，一年左右。

199. 更：另外。

200. 盡索之於女子：全花在婦女身上。盡，全，都；索，盡，完結。

201. 半：半數人。

202. 令朔在事無為是行者：令，假使；在事無為是行者：做官而又沒有這種（放蕩）行為。

203. 若等：你們這些人。等，用在人稱代詞或指人、物的名詞後，表示多數或列舉未盡。

204. 侍謁者：掌管內廷傳達的官。

205. 節：符節，使者所持以作憑證的信物，一般用竹、木等製成。

206. 避世：躲避世事，隱居。

207. 據地：趴在地上。據，靠着。

208. 陸沉：司馬貞《史記索引》引司馬彪云：“謂無水而沉也。”物沉於水，而東方朔言在陸地上便可下沉，以喻在人事紛繁中隱居。

209. 金馬門：宦官署的大門。漢武帝得大宛馬，以銅鑄像，立於宦者之門，因此得名。宦官署是管理宦官的官署，屬於少府。

210. 蒿廬：茅屋。蒿，草名，泛指野草、雜草。

211. 博士：學官名，原來的職責是古今事蹟的顧問及保管書籍，漢武帝時設五經博士，專司傳授經學。

212. 難：詰問，發難。以下對話取自東方朔《答客難》。

213. 蘇秦、張儀一當萬乘之主：蘇秦，戰國時洛陽人，為趙王所用，是主張“合縱”的代表人物，其事蹟可參看《史記·蘇秦列傳》；張儀，戰國時魏人，為秦惠王所用，是主張“連橫”的代表人物，其事蹟可參看《史記·張儀列傳》。當，遇上；萬乘之主，擁有萬輛兵車的君主，指大國的君王；乘，古時一車四馬為一乘。

214. 都：居於。

215. 子大夫：對人的敬稱，相當於"您"。

216. 著於竹帛：寫成文章。竹帛，竹簡和白絹，古時紙張未發明以前的書寫用具。

217. 即可謂博文辯智：即，連詞，用法與"則"相同，表承接關係；博聞辯智，見聞廣博，聰明善議論。

218. 悉力盡忠以事聖帝：悉力，竭力；聖帝，英明的皇帝，此處是對當時皇帝的敬稱。

219. 曠日持久：經過了這麼長的時間。曠，歷時久遠。

220. 積：積累，此處指經歷了很長時間。

221. 侍郎：侍從官員，屬郎中令。

222. 執戟：指郎官。執戟侍衛是郎官的職責。

223. 意者尚有遺行：意者，猜測，猜度，可理解為"想必是"；遺行，有失檢點的行為。

224. 備：悉，完全。此處意為完全理解。

225. 彼一時也，此一時也：那個時候有那個時候的情勢，這個時候有這個時候的狀況。

226. 周室大壞：周室，周王室，即指周王朝；壞，衰敗。

227. 朝：動詞，上朝，覲見。

228. 力政：以武力相征伐。政，通"征"，攻戰。

229. 禽：通"擒"，捕捉，捉拿。

230. 併為十二國：併，兼併；十二國，指秦、楚、齊、燕、韓、趙、魏、宋、鄭、魯、衛、中山。

231. 雌雄：比喻勝負、強弱。

232. 士：此處指知書通文、有思想有才幹的人。

233. 說聽行通：意見能被採納，可以順暢行事。

234. 榮：顯貴，顯耀。

235. 然：代詞，意為"這樣"，指代上文所說的亂世時士的遇合情況。

236. 德流天下：道德教化流佈天下。

237. 賓服：指諸侯或藩屬國按時進貢，以示服從。

238. 四夷：即東夷、西戎、南蠻、北狄，泛指邊境各少數民族。

239. 席：坐墊。

240. 覆盂：倒置的盂，比喻穩固。盂，一種盛液體的器皿，上口大，
下腳小，倒覆過來，很難傾倒。

241. 運：把玩。

242. 竭精馳說：竭盡自己的能力，發表自己的見解。

243. 並進輻湊：彙聚到朝廷。輻湊，車輻湊集到中心的車轂上，比喻
從四面八方聚集到一處。

244. 或失門戶：或，虛指代詞，有的，有人；門戶，進身做官的門
路。

245. 僕：對自己的謙稱。

246. 曾不能得掌故：曾，副詞，用來增強語氣，常與"不"連用，相
當於現代漢語中的"連……都……"；掌故，掌管禮樂制度等故
事的官吏。

247. 傳：泛指古代聖賢的著作。天下無害災六句：意思是在天下太
平、沒有禍亂的年代，即使是聖人也沒有地方施展他的才華；在
君臣相得、政局穩定的時候，即使是賢者也沒有機會建立他的功
勳。

248. 雖然：即便如此。雖：即使，縱然；然：代詞，如此。

249. 安可以不務修身：安，怎麼，如何；務，致力於；修身，培養自
己的品行才幹。

250. 鼓鐘於宮，聲聞於外：語出《詩‧小雅‧白華》，意思是在宮中
擊鼓，聲音可以傳到宮外很遠的地方。

251. 鶴鳴九皋，聲聞於天：語出《詩‧小雅‧鶴鳴》，意思是鶴在幽
靜的沼澤地裏長唳，聲音可以達於青天。

252. 苟能修身，何患不榮：苟，假如；患，擔心，擔憂。

253. 太公躬行仁義：太公，指齊太公呂尚，輔佐周文王、周武王強國滅紂，是周朝的開國元勳，其事蹟可參看《史記·齊太公世家》；躬行，親身遵行，身體力行。

254. 文王：周文王姬昌，周朝的奠基者。

255. 孜孜：勤勉的樣子。

256. 處士：隱居的人，此處指東方朔自己。

257. 崛然：特立獨行的樣子。

258. 塊然：孤獨而安閒的樣子。

259. 上觀許由：遠學許由。許由，堯時的隱士，傳說堯曾想禪位於他，他逃避不受，並來到潁水邊洗耳，認為所聽到的話玷污了他的耳朵。

260. 下察接輿：近比接輿。接輿，春秋時楚國隱士，曾以"鳳兮"歌奉勸孔子不要出世。

261. 策同范蠡：像范蠡一樣充滿智慧。范蠡，春秋末楚國的謀臣，曾輔佐越王勾踐滅吳，其事蹟可參看《史記·越世家》。

262. 忠合子胥：像伍子胥一樣有忠誠的節操。子胥，伍子胥，曾輔佐吳王闔廬破越稱霸，又勸諫吳王夫差滅越除患，後為夫差所殺，其事蹟可參看《史記·伍子胥列傳》。

263. 與義相扶：保持自己高尚的節操。義，道義；扶，扶持。

264. 寡偶少徒：沒有志同道合的人。寡，少；偶，伴侶，泛指夥伴、一輩人；徒，同一類的人。

265. 常：普通，平常。

266. 建章宮後閣重櫕：建章宮，漢宮名，漢武帝太初元年（前104）建；重櫕，雙重欄杆。

267. 麋：麋鹿。

268. 願賜美酒粱飯大殗臣：粱飯，精研的米飯；大殗臣，讓我好好吃一頓；殗，飯食，這裏用作使動詞，讓……吃。

269. 乃：於是，這才。

270. 已：止，完畢，此處指吃喝過後。

271. 所謂騶牙者：這就是叫做騶牙的東西。騶牙，獸名，也名騶吾、騶虞，古代傳說中的義獸，其口中九牙齊等，排列如同騶騎（騎馬的儀仗隊）一樣整齊。

272. 歸義：投誠。

273. 見：通“現”，出現。

274. 一歲所：一年左右。

275. 匈奴混邪王果將十萬眾來降漢：混邪王率眾降漢事，可參看《史記·匈奴列傳》。

276. 復：再，又。

277. 且死：將死，臨死。且，將要，快要。

278. 營營青蠅，止於蕃。愷悌君子，無信讒言：出自《詩·小雅·青蠅》，意思是嚶嚶飛動着的青色蠅子，停在籬笆上。和樂簡易的君子，不要相信小人惡意中傷的言語。

279. 讒言罔極，交亂四國：出自《詩·小雅·青蠅》，意思是惡意中傷的話是沒有完結的，最終會造成國與國之間的戰亂。

280. 遠巧佞，退讒言：遠，疏遠，遠離；退，斥退。

281. 顧：反而，卻。

282. 怪之：以之為怪，即對東方朔的這種行為感到很奇怪。

283. 鳥之將死，其鳴也哀；人之將死，其言也善：出自《論語·泰伯篇第八》，意思是鳥要死了，鳴聲是悲哀的；人要死了，說出的話是善意的。（此譯文採自楊伯峻先生《論語譯注》，中華書局1980年版）

284. 此之謂也：說的就是這種情況吧。


　　武帝時，大將軍衛青者，衛后兄也[285]，封為長平侯。從軍擊匈奴，至余吾水上而還，斬首捕虜，有功來歸，詔賜金千斤[286]。將軍出宮門，齊人東郭先生以方士待詔公車[287]，當道遮[288]衛將軍車，拜謁曰："願白[289]事。"將軍止車前，東郭先生旁[290]車言曰："王夫人新得幸[291]於上，家貧。今將軍得金千斤，誠以其半賜王夫人之親[292]，人主聞之必喜。此所謂奇策便計[293]也。"衛將軍謝之曰："先生幸[294]告以便計，請奉教[295]。"於是衛將軍乃以五百金為王夫人之親壽[296]。王夫人以聞[297]武帝。帝曰："大將軍不知為此[298]。"問之安[299]所受計策，對曰："受之待詔者東郭先生。"詔召東郭先生，拜以為郡都尉[300]。東郭先生久待詔公車，貧困[301]飢寒，衣敝[302]，履不完[303]。行雪中，履有上無下[304]，足盡踐[305]地。道中人笑之，東郭先生應之曰："誰能履行雪中，令人視之，其上履也，其履下處乃[306]似人足者乎？"及其拜為二千石[307]，佩青緺[308]出宮門，行謝主人[309]。故所以同官待詔者，等比祖道於都門外[310]。榮華道路，立名當世。此所謂衣褐懷寶[311]者也。當其貧困時，人莫省視[312]；至其貴[313]也，乃爭附之。諺曰："相馬失之瘦，相士失之貧[314]。"其此之謂邪？

王夫人病甚[315]，人主至自往問之曰："子當為王，欲安所置之[316]？"對曰："願居洛陽。"人主曰："不可。洛陽有武庫、敖倉，當關口，天下咽喉[317]。自先帝以來，傳不為置王[318]。然關東[319]國莫大於齊，可以為齊王。"王夫人以手擊頭[320]，呼"幸甚"。王夫人死，號曰"齊王太后薨[321]"。

昔者[322]，齊王使淳于髡獻鵠[323]於楚。出邑門[324]，道
飛其鵠，徒揭空籠[325]，造詐成辭[326]，往[327]見楚王曰：
"齊王使臣來獻鵠，過於水上，不忍鵠之渴，出而飲之[328]，
去我飛亡[329]。吾欲刺腹絞頸[330]而死，恐人之議[331]吾王以
鳥獸之故令士自傷殺也。鵠，毛物[332]，多相類者[333]，吾
欲買而代之，是不信[334]而欺吾王也。欲赴佗[335]國奔亡，
痛[336]吾兩主使不通。故來服過[337]，叩頭受罪大王[338]。"
楚王曰："善，齊王有信士[339]若此哉！"厚賜[340]之，財
倍鵠在也。

武帝時，徵北海太守詣行在所[341]。有文學卒史[342]王
先生者，自請與太守俱[343]，"吾有益於君[344]"，君許之。
諸府掾功曹白[345]云："王先生嗜酒，多言少實[346]，恐不
可與俱。"太守曰："先生意欲行，不可逆[347]。"遂與
俱。行至宮下，待詔宮府門。王先生徒懷錢沽酒[348]，與
衛卒僕射飲[349]，日醉[350]，不視其太守。太守入跪拜。王
先生謂戶郎曰："幸為我呼吾君至門內遙語[351]。"戶郎
為呼太守。太守來，望見[352]王先生。王先生曰："天子
即[353]問君何以治北海，令無盜賊，君對曰何哉？"對
曰："選擇賢材，各任之以其能，賞異等，罰不肖[354]。"
王先生曰："對如是[355]，是自譽自伐功[356]，不可也。願
君對言，非臣之力，盡陛下神靈威武所變化也。"太守
曰："諾。"召入，至於殿下，有詔問之曰："何於治北

海，令盜賊不起[357]？"叩頭對言："非臣之力，盡陛下神靈威武之所變化也。"武帝大笑，曰："於呼[358]！安得長者[359]之語而稱之！安所受之[360]？"對曰："受之文學卒史。"帝曰："今安在？"對曰："在宮府門外。"有詔召拜王先生為水衡丞，以北海太守為水衡都尉[361]。傳曰："美言可以市，尊行可以加人[362]。君子相送以言，小人相送以財[363]。"

　　魏文侯時，西門豹為鄴令[364]。豹往到鄴，會長老，問之民所疾苦[365]。長老曰："苦為河伯[366]娶婦，以故貧。"豹問其故，對曰："鄴三老、廷掾常歲賦斂百姓[367]，收取其錢得數百萬，用其二三十萬為河伯娶婦，與祝巫[368]共分享其餘錢持歸。當其時，巫行視小家女好者[369]，云是當為河伯婦，即娉取[370]。洗沐之，為治新繒綺縠衣[371]，閒居齋戒[372]；為治齋宮河上[373]，張緹絳帷[374]，女居其中。為具牛酒飯食[375]，十餘日。共粉飾[376]之，如嫁女床席[377]，令女居其上[378]，浮之河中。始浮，行數十里乃沒[379]。其人家有好女者，恐大巫祝為河伯取之，以故多持女[380]遠逃亡。以故城中益空無人，又困貧[381]，所從來久遠矣[382]。民人俗語曰：'即[383]不為河伯娶婦，水來漂沒，溺其人民[384]'云。"西門豹曰："至為河伯娶婦時，願三老、巫祝、父老送女河上，幸來告語之[385]，吾亦往送女。"皆曰："諾。"

　　至其時，西門豹往會[386]之河上。三老、官屬、豪長

者、里父老[387]皆會，以[388]人民往觀之者三二千人。其
巫，老女子也，已年七十。從弟子女十人所[389]，皆衣繒
單衣[390]，立大巫後。西門豹曰：“呼河伯婦來，視其好
醜[391]。”即將女出帷中，來至前。豹視之，顧[392]謂三
老、巫祝、父老曰：“是女子不好，煩大巫嫗為入報河
伯[393]，得更求好女，後日送之。”即[394]使吏卒共抱大巫
嫗投之河中。有頃[395]，曰：“巫嫗何久也？弟子趣[396]
之！”復以弟子一人投河中。有頃，曰：“弟子何久也？
復使一人趣之！”復投一弟子河中。凡[397]投三弟子。西
門豹曰：“巫嫗弟子是女子也，不能白[398]事，煩三老為
入白之。”復投三老河中。西門豹簪筆磬折[399]，向河立
待良久。長老、吏傍[400]觀者皆驚恐。西門豹顧曰：“巫
嫗、三老不來還，奈之何？”欲復使廷掾與豪長者一人入
趣之。皆叩頭，叩頭且破，額血流地，色[401]如死灰。西門
豹曰：“諾，且留待之須臾[402]。”須臾，豹曰：“廷掾起
矣。狀[403]河伯留客之久，若皆罷去歸矣。[404]”鄴吏民大
驚恐，從是以後，不敢復言為河伯娶婦。

西門豹即發民鑿十二渠[405]，引河水灌民田，田皆
溉[406]。當其時，民治渠少[407]煩苦，不欲[408]也。豹
曰：“民可以樂成，不可與慮始[409]。今父老子弟雖患苦[410]
我，然百歲後期令父老子孫思我言[411]。”至今皆得水利，
民人以給足[412]富。十二渠經絕馳道[413]，到漢之立，而長
吏以為十二渠橋絕馳道，相比近[414]，不可。欲合渠水，

且至馳道合三渠為一橋[415]。鄴民人父老不肯聽長吏，以為西門君所為也，賢君之法式不可更[416]也。長吏終聽置[417]之。故西門豹為鄴令，名聞天下，澤流後世，無絕已時[418]，幾[419]可謂非賢大夫哉！

傳曰："子產治鄭，民不能欺[420]；子賤治單父，民不忍欺[421]；西門豹治鄴，民不敢欺[422]。"三子之才能誰最賢哉？辨治者當能別之[423]。

## 注釋

285. 大將軍衛青者，衛后兄也：衛青是漢武帝皇后衛子夫的弟弟。衛青事蹟可參看《史記·衛將軍驃騎列傳》。

286. 至余吾水上而還，斬首捕虜，有功來歸，詔賜金千斤：余吾水，水名，在今蒙古人民共和國北部；金，一般指黃銅。

287. 以方士待詔公車：方士，好講神仙方術的人；待詔，候命。

288. 遮：攔截。

289. 白：稟告。

290. 旁：通"傍"，靠近，挨着。

291. 得幸：受寵幸。

292. 親：父母。

293. 便計：便捷的計策。

294. 幸：敬詞，表示對方這樣做，使自己感到很幸運。

295. 奉教：遵循（您的）指教，按您說的去辦。

296. 壽：祝壽。

297. 以聞：以之聞，即把這件事告訴皇上。

298. 不知為此：不指導不會懂得這麼做。

299. 安：什麼。

300. 都尉：官名，執掌武事。

301. 貧困：貧，貧窮；困，困頓，不得志。

302. 敝：破舊。

303. 履不完：履，鞋子；完，完整。

304. 有上無下：有面無底。

305. 踐：踩，踏。

306. 乃：確，竟然，表轉折。

307. 拜為二千石：被授予年俸二千石糧的官。

308. 青綬：青紫色的綢帶，藉指用青色綢帶拴着的官印。綬，紫青色綢帶。

309. 行謝主人：謝，辭別；主人，此處指房東。

310. 故所以同官待詔者，等比祖道於都門外：故，以前；等比，排列，一道，一起；祖道，餞行，設宴送行。

311. 衣褐懷寶：比喻貧寒而有才華的人。

312. 省視：關注。省，探視，問候。

313. 貴：顯貴。

314. 相馬失之瘦，相士失之貧：相，審察，評判；失，耽誤，錯過。這兩句的意思是：評判馬的好壞的人常會因為馬外形的纖瘦而錯過了良馬，任用士子的人常會因為處境的低賤而漏掉了賢才。

315. 病甚：病得很嚴重。

316. 安所置之：把他封到哪裏。置，安排，安置。

317. 有武庫、敖倉，當關口，天下咽喉：武庫，兵器庫；敖倉，秦漢時國家的大糧倉，又稱敖庾，舊址在今河南省鄭州市西北氓山上；當關口，正對着關口，由長安出函谷關東行，洛陽首當其衝；咽喉，比喻地理位置十分重要。

318. 自先帝以來，傳不為置王：先帝，（本朝）前代的皇帝；傳，相傳，慣例的做法。

319. 關東：函谷關以東。

320. 以手擊頭：因病倒在床，不能起身，故以此表示叩頭謝恩。

321. 薨：諸侯死曰薨。此時其子雖未受封，但已按齊王的身份稱呼葬禮，表明王夫人深受寵幸。齊王受封事可參看《史記·三王世家》褚少孫所補部分。

322. 昔者：以前。

323. 鵠：黃鵠，一種珍禽。

324. 邑門：京都的城門。

325. 道飛其鵠，徒揭空籠：飛，使動詞，使……飛去，即放走；徒，只，僅僅；揭，舉着。

326. 造詐成辭：編了一套謊言。

327. 往：到……去。

328. 出而飲之：把它放出來，讓它喝水。

329. 去我飛亡：去，離開；亡，逃跑，逃走。

330. 刺腹絞頸而死：剖腹上吊，尋死而去，即自殺。

331. 議：議論，譏刺。

332. 毛物：長羽毛的東西。

333. 多相類者：這樣的東西很多。

334. 信：誠實，講信義。

335. 佗：通“他”。佗國即別國。

336. 痛：痛心。

337. 服過：承擔罪責。

338. 受罪大王：領受大王的罪罰，即讓大王懲罰我。“受罪”後省略了介詞“於”。

339. 信士：忠信之人。

340. 厚賜：重重地賞賜。

341. 徵北海太守詣行在所：徵，召；北海，漢郡名，郡治在今山東省濰坊市西南。行在所，簡稱行在，皇帝所在處，後專指皇帝的臨時駐所。這裏所說的是漢宣帝時事，可參看《漢書·循吏傳》。

褚先生說是武帝時，應為誤記。

342. 文學卒史：掌管文書的小吏。

343. 自請與太守俱：請，請求，要求；俱，一同前往。

344. 吾有益於君：我會對您有助益。

345. 府掾功曹白：府掾，太守府中的屬吏；掾，屬吏的通稱；功曹，府中屬吏的一種，主管祭祀、禮樂、學校、選舉等事；白，彙報，稟告。

346. 多言少實：大話、空話多，踏實有據的話少。

347. 逆：違拗。

348. 徒懷錢沽酒：徒，只；沽，買。

349. 衛卒僕射：衛兵長官。僕射，（一類）官員的首長。凡侍中、尚書、博士、郎官都有僕射。

350. 日醉：天天大醉。

351. 幸為我呼吾君至門內遙語：吾君，我的主人；遙語，（隔着一段路）遠遠地談話。

352. 望見：望，遠望；見，看見。

353. 即：假如。

354. 賞異等，罰不肖：異等，才幹超群的（官員）；不肖，不賢良的（官員）。

355. 對如是：照這樣回答。

356. 自譽自伐功：自己誇耀自己，自己顯擺自己的功勞。伐，誇耀。

357. 起：興起，活動。

358. 於呼：同“嗚呼”，表示驚訝的嘆詞。

359. 長者：有修養之人。

360. 安所受之：（這些話）是從哪兒學來的。受：接受。

361. 召拜王先生為水衡丞，以北海太守為水衡都尉：水衡丞，官名，水衡都尉的副手；水衡都尉，官名，掌管上林苑（漢皇家苑囿）。

362. 美言可以市，尊行可以加人：出自《老子》第二十六章，意思是嘉美的言詞可以博取敬仰，良好的行為可以見重於人。（此譯文採自陳鼓應先生《〈老子〉注譯及評介》，中華書局1984年版）

363. 君子相送以言，小人相送以財：本《晏子春秋》"君子贈人以言，庶人贈人以財"，意思是有德行的人拿意義深遠的話語為禮送給別人；庸碌俗人拿錢財為禮送給別人。

364. 魏文侯時，西門豹為鄴令：魏文侯，戰國時魏國的開國君王，名魏斯，公元前445年—公元前396年在位；鄴，在今河北省臨漳縣西南；令，一縣的長官。

365. 會長老，問之民所疾苦：長老，地方上年高望重的人；民所疾苦，人民感到痛苦的事。

366. 河伯：河神。張守節《史記正義》云："河伯，華陰潼鄉人，姓馮氏，名夷。浴於河中而溺死，遂為河伯也。"

367. 三老、廷掾常歲賦斂百姓：三老，掌教化的鄉官；廷掾，縣吏；常歲，每年，年年；賦斂，徵收捐稅。

368. 祝巫：祝，廟祝，祠廟中主管祭禮的人，也指給人求神祝福的人；巫，以裝神弄鬼替人祈禱為職業的人。巫覡相對，巫指女巫，覡指男巫。

369. 行視小家女好者：行，巡視；小家女，貧苦人家的女兒；好，容貌美麗、漂亮。

370. 娉取：下聘禮，說定（婚事）。娉，通"聘"，下聘禮；取，同"娶"。

371. 為治新繒綺縠衣：治，縫製，置辦；繒，絲織品的總稱；綺，有花紋的絲織品；縠，有縐紋的紗。

372. 閒居齋戒：閒居，單獨居住；齋戒，祭祀前，沐浴更衣，素食，以示虔敬。

373. 治齋宮河上：治，建造；齋宮，齋戒時所住的房子；河上，河邊；河，此處指漳河。

374. 張緹絳帷：張，懸掛；緹，丹黃色（近似於橘紅色）的絲織品；絳，深紅色；帷，四圍的帳幔。

375. 為具牛酒飯食：具，準備，備辦；牛酒，此處泛指好吃好喝。

376. 粉飾：裝飾，打扮。

377. 如嫁女床席：像嫁女兒一樣（備辦）床帳枕席。

378. 居其上：坐在上面。

379. 沒：沉沒。

380. 持女：帶着女兒。

381. 益空無人，又困貧：益，更；又，更加。

382. 所從來久遠矣：這種情況持續很久了。

383. 即：假如。

384. 溺其人民：溺，淹死；人民，百姓，民眾。

385. 幸來告語之：幸，希望；告語之，把這事告知（我）。

386. 會：（與大家）會合。

387. 三老、官屬、豪長者、里父老：官屬，指鄴縣令手下的官員；豪長者，地方上的豪紳；里父老，被選中的女子的鄉親。

388. 以：連詞，與，及，此處可理解為"加上"。

389. 所：通"許"，大約。

390. 衣繒單衣：此句中第一個"衣"為動詞，穿着；第二個"衣"為名詞，衣服。

391. 好醜：漂亮不漂亮。

392. 顧：回頭看。

393. 大巫嫗為入報河伯：嫗，年老的女子；入，進去，此處意為到河裏去；報。通知。

394. 即：於是，就。

395. 有頃：過了一會兒。

396. 趣：同"促"，催促。

397. 凡：一共。

398. 白：稟報。

399. 簪筆磬折：簪筆，古時行禮的冠飾，把類似毛筆的簪子插於帽上；磬折，像石磬一樣深深彎腰鞠躬。磬，石磬，古代樂器，曲折九十度，兩頭下垂。

400. 傍：同"旁"。

401. 色：面色。

402. 且留待之須臾：且，暫且，姑且；須臾，片刻，一會兒。

403. 狀：推測之詞，相當於現代漢語中的"看情況"、"看樣子"。

404. 若：第二人稱指示代詞，意為你，你們。

405. 發民鑿十二渠：發民，徵集百姓；鑿，開鑿。

406. 溉：（受到）澆灌。

407. 少：稍稍，稍微。

408. 不欲：不想（繼續幹下去）。

409. 民可以樂成，不可以慮始：樂成，在創業有成後共同享受；慮始，在創業初始時共患難。

410. 患苦：意動用法，以……為患苦，即認為（我）給他們帶來了焦煩愁苦。

411. 期令父老子孫思我言：期，一定；思，回想。

412. 給足：供給豐足，人給家足。

413. 經絕馳道：經絕，橫斷，攔腰截斷；馳道，御道，皇帝車馬所走的道路。

414. 比近：緊靠。

415. 合三渠為一橋：把三條渠合為一條渠，只架一座橋。

416. 法式不可更：法式，法度，典範；更，變更，改動。

417. 置：擱置不提。

418. 無絕已時：永遠沒有斷絕終了的時候。

419. 幾：通"豈"，難道。

420. 子產治鄭，民不能欺：子產，即春秋時鄭國的賢相公孫僑，字子產；鄭，西周末年建立的諸侯國，轄今河南省中部，都城為今河南新鄭。子產治鄭事，可參看《史記‧循吏列傳》。司馬貞《史記索引》：“子產相鄭，仁而且明，古人不能欺之也。”

421. 子賤治單父，民不忍欺：子賤，宓子齊，字子賤，春秋時魯國人，曾任單父宰（縣令）；單父，魯邑名，在今山東省單縣。子賤治單父事可參看《史記‧仲尼弟子列傳》。司馬貞《史記索引》：“子賤為政清淨，惟彈琴，三年不下堂而化，是人見思，故不忍欺之。”

422. 西門豹治鄴，民不敢欺：司馬貞《史記索引》：“豹以威化禦俗，故人不敢欺。”

423. 辨治者當能別之：辨治者，評判政治的人；別，分辨，判斷。

# 串講

本篇一共記述了九個滑稽而有智慧的人物的事蹟。前三個為司馬遷所記，分別為齊國的淳于髡、楚國的優孟、秦代的優旃；後六個為西漢後期學者褚少孫補記，分別為漢武帝時的郭舍人、東方朔、東郭先生、王先生（實為宣帝時人）、戰國時齊國之淳于髡、魏國之西門豹。

齊威王始荒於朝政，群臣不敢勸諫。淳于髡以停在朝堂上不飛不鳴的大鳥為喻，向威王進言。威王回答說：“此鳥不飛則已，一飛衝天；不鳴則已，一鳴驚人。”於是威王整頓吏治，率軍出擊，稱霸天下達三十六年之久。淳于髡還以隱語糾正過威王的外交策略，勸諫威王停止了通宵達旦的飲酒。

楚莊王要以大夫的規格為自己的愛馬下葬，不許左右提出異議。優孟大哭着進宮來，說只按大夫的規格未免也太低了，請求以國君葬禮的隆重禮節來葬馬，使得天下人皆知楚王有這麼一匹愛馬。楚王這才認識到了自己的過錯。楚國的國相孫叔敖很看重優孟，認為他是個賢良的人。孫叔敖死後，他的兒子以砍柴為生。優孟得知後穿戴上孫叔敖的衣服帽冠，模仿着孫叔敖的言談舉止來到莊王面前為莊王祝壽，莊王以為是孫叔敖復生，要任命他為國相。優孟唱着歌說，像孫叔敖那樣做了一輩子清官，到頭來他的兒子窮得只能靠打柴來自己養活自己，所以楚國的國相是做不得的啊！於是莊王把寢丘的四百戶人家封給孫叔敖的兒子，使對孫叔敖的祭祀一直沒有斷絕過。

秦始皇有一次擺酒宴時，天下起了雨，殿下警衛的士兵們都凍得發抖。始皇蓄養的侏儒優旃在殿上對士兵們說："你們長個高個子有什麼用，還不是被雨淋着；我雖然身材矮小，但卻能安然地站在殿上。"始皇於是讓衛士們分成兩班，輪流替換。後來優旃又以玩笑話打消了始皇擴建獵場和秦二世油漆城牆的念頭。

郭舍人是武帝寵倖的優伶，武帝乳母的家人犯了過錯，武帝準備把乳母一家流放邊境。郭舍人很可憐她，便教她在向武帝辭行時做出戀戀不捨的樣子，郭舍人自己則在一旁罵道："你這個老婆子，還不快走！皇帝已經長大成人，不需要再吃你的奶了！"武帝聽後心軟了，收回了讓乳母徙邊的命令。

武帝時人東方朔博覽群書，見聞駁雜，下筆作文洋洋灑灑。在朝中做官，不拘行跡，把錢財都花在女子身上。他自稱這是"陸沉於俗，避世金馬門"，是在朝堂之上的隱居，並寫了一篇《答客難》來說明自己這樣做的理由。

武帝時的東郭舍人原先是以術士身份在公車府當差的一個小吏，曾給大將軍衛青出過計策。他久得不到提拔時，穿着破衣服、沒有鞋底的破鞋子在街上走，人們都嘲笑他。他說：
"誰可以像我這樣，穿一雙上面是鞋面，下面是人的腳板的鞋子
還能走得穩穩當當呢？"等到他被授予了年俸二千石的官職，
佩着拴青帶的官印去上任之時，人們都對他刮目相看。

　　傳說淳于髡曾受王命去進獻黃鵠鳥給楚王。半路上他把鳥
兒放走了，又編了一套說辭給楚王聽。楚王聽了竟認為他是個
忠信之士，重重地賞賜了他。

　　魏文侯時西門豹被任命為鄴縣縣令，到任後了解到那兒有
一種給漳河河神娶媳婦的風俗，就是挑選貧寒人家的美貌女
子，齋戒打扮，到時讓她坐在席子上順水漂流，最後沉沒在河
裏。主辦這件事的三老、河神巫們則可以瓜分以此事為名徵收
來的大量的錢財。據神巫說如果不這樣做，漳河就會發大水淹
沒兩岸的田地，於是這項活動便年年進行下來，弄得民不聊
生。西門豹聽後，在這一年給漳河河神娶媳婦那天也來到河
邊。他看了看要作為媳婦送給河神的女子，說她長得不漂亮，
得再找個漂亮的，於是命令大巫婆去水裏通報一聲，然後又讓
大巫婆的弟子以及三老去水裏催。這些人被丟進水裏後，都再
也沒有上來。圍觀的人們都很害怕，再也不敢提起給河神娶媳
婦的事了。西門豹則帶領百姓開鑿水利，灌溉田地，鄴地的人
們至今從中受惠。

## 評析

　　前人凌稚隆曾云："'言談微中'二句，總為滑稽要領，豈
太史公思遊俠而不得見，故第及於次耶？"（凌稚隆《史記評
林》）此篇與《刺客列傳》可以共讀。俠義刺客與滑稽俳優，同

為"常經常法"之外的別一種奇異人物。當天下大亂群雄相爭之時，刺客重義輕死，以男兒血性撼動歷史的進程；而當四方已定，歌舞昇平之日，滑稽者則嬉笑怒罵，以詼諧話語舉重若輕助王者之事業，諫人君之過失。刺客有大勇，而滑稽者有大智。他們游離於正統社會的行為標準之外，以常人所不具備的坦蕩和熱誠，成就了他們的瑰偉人生。

《史記》中有多篇相類人物的合傳，《滑稽列傳》亦為其中之一。太史公所記的三個人物淳于髡、優孟、優旃，其所處時代相隔數百年，而以一"滑稽"將其連綴到一起。傳中文字，極寫其人之流利言辭，詼諧舉止。淳于髡以鳥為喻激勵齊王，簡明恰切似《詩》；以己身感受諷諫齊王停止夜飲，則鋪張華麗似賦。優孟着孫叔敖衣冠，在楚王面前搖頭而歌，其憤慨之情、從容之態，千載之下歷歷如在目前。優旃的韻語，更是令人忍俊不禁。而這些人在放縱之中又有所持守，有所把握。在一朝飽讀詩書、經綸滿腹的官員士子想不到或想到而不敢明言之時，他們挺身而出，以那些自命為道義堅守者的正統之人說不出的玩笑話，維護了世間的道義，以不入流的、為世人輕視甚至嘲笑的低賤身份，糾正了主流社會的弊病，使社會得以正常運行。他們的開闊襟懷，他們活潑靈動的智慧，他們不俗的志向和識見，正是為太史公所深深歎服，並欲作傳使之流傳後世的東西："豈不偉哉！"（太史公論贊）

太史公原文後褚少孫補作的幾篇，雖歷來褒貶不一，但總體上卻遵循了不入世俗、狂中有守的人物事蹟之裁選原則，有些段落（如西門豹治鄴一段）也可以說做到了曲折宛轉、幽默風趣。

須注意的是，本篇為滑稽人物作傳，而卻以孔子論六藝之言開首，此中極有深意。"天道恢恢，豈不大哉！談言微中，亦可以解紛。"六藝之大，可以經天緯地，而"解紛之時，六藝無用也"（倪思、劉辰翁《班馬異同》卷三四）。天地間自有一種奇偉之人、奇偉之事不合於六藝，或者說不拘泥於六藝。這既是一種叛逆，一種反抗，又是一種重要的補充，一種無言的提醒。對於社會上的正統思想、行為規範，太史公自有其評判標準。人世間重要的是尋求"正道"，而非依照某經某典之文字，堅持某家某派之學說，恪守某聖某賢之規範。這也許就是《滑稽列傳》中潛藏着的"史意"之所在吧。